# CONTEMPORARY SPANISH TEXTS

*General Editor*
### FEDERICO DE ONÍS
Professor of Spanish Literature, Columbia University,
formerly of the University of Salamanca

# CONTEMPORARY SPANISH TEXTS

General Editor

**FEDERICO DE ONÍS**

1. Jacinto Benavente: **Tres comedias.** JOHN VAN HORNE.

2. Vicente Blasco Ibáñez: **La batalla del Marne** from *Los cuatro jinetes del Apocalipsis.* FEDERICO DE ONÍS.

3. Martínez Sierra: **Canción de cuna.** AURELIO M. ESPINOSA.

4. Juan Ramón Jiménez: **Platero y yo.** G. M. WALSH.

5. Linares Rivas: **El abolengo.** P. G. MILLER.

6. Antología de cuentos españoles. HILL AND BUCETA.

7. Azorín: **Las confesiones de un pequeño filósofo.** L. IMBERT.

8. Antología de cuentos americanos. L. A. WILKINS.

9. Marquina: **En Flandes se ha puesto el sol.** HESPELT AND SANJURJO.

10. Martínez Sierra: **Sol de la tarde.** C. D. COOL.

11. Quinteros: **La flor de la vida.** REED AND BROOKS.

12. Pío Baroja: **Zalacaín el aventurero.** A. L. OWEN.

13. Julio Camba: **La rana viajera.** F. DE ONÍS.

14. Pérez Lugín y Linares Rivas: **La casa de la Troya.** MARTÍN AND DE MAYO.

15. Rubén Darío: **Poetic and Prose Selections.** ROSENBERG AND LOWTHER.

16. Palacio Valdés: **La novela de un novelista.** ALPERN AND MARTEL.

17. Concha Espina: **Mujeres del Quijote.** W. M. BECKER.

# LA FLOR DE LA VIDA

POR

SERAFÍN Y JOAQUÍN
ÁLVAREZ QUINTERO

*EDITED WITH DIRECT-METHOD EXERCISES,
NOTES, AND VOCABULARY*

BY

FRANK O. REED

AND

JOHN BROOKS

ASSOCIATE PROFESSOR OF SPANISH
UNIVERSITY OF ARIZONA

*WITH A CRITICAL INTRODUCTION BY*
FEDERICO DE ONÍS

D. C. HEATH AND COMPANY
BOSTON    NEW YORK    CHICAGO    LONDON
ATLANTA    DALLAS    SAN FRANCISCO

COPYRIGHT, 1926,

BY D. C. HEATH AND COMPANY

3 F 4

# PREFACE

THIS brief three-act play is offered for reading and study in the belief that it may prove to be a welcome addition to the number of contemporary Spanish plays now available. *La flor de la vida* is a work of remarkable composition in that from the very outset, the idyllic meeting of Áurea with the light-hearted youth Cellini, only two characters take part in the action. In dramatic technique it approximates what is now considered the literary masterpiece of the Quinteros, namely *Las flores*. The play itself is idealistic and sentimental, and will appeal to those who do not make a parade of their sophistication. The subject is the poetry of life in the three ages of man, — youth, manhood, and old age.

The text of this edition of *La flor de la vida* is that of the Madrid edition of 1914, especially revised and corrected for this issue by the authors themselves. In the Introduction will be found a critical description and appreciation of the Quinteros by Professor Federico de Onís. The language of the play is simple conversational Castilian and it is believed that the book could be used advantageously by students of Spanish in the second or third year of the High School or the first two years of College. The Notes and Vocabulary have been prepared with this in view.

The editors take this opportunity to express their gratitude to the authors for their permission to edit the play and to Professor Federico de Onís of Columbia University and Dr. Alexander Green of D. C. Heath and Company for their helpful suggestions.

F. O. R.
J. B.

TUCSON, ARIZONA
  August 1, 1925

# TABLE OF CONTENTS

Serafín y Joaquín Álvarez Quintero

# LOS QUINTEROS

SIEMPRE juntos, ofrecen estos dos escritores uno de los más notables ejemplos de hermandad espiritual, de coincidencia o fusión de personalidad, que hay en la historia literaria. A través de toda su obra, firmada siempre por los dos, se observa una perfecta unidad que no permite descubrir el menor asomo de intervención de dos manos diferentes, ni en la concepción, ni en el estilo, ni en los pormenores. Son los Quinteros dos hermanos que, según confesión propia, no han reñido nunca. Su vida ha sido sencilla, clara, alegre y segura, como sus comedias. Poco hay que decir de ella. El arte dramático parece haber sido su vocación natural y espontánea. Desde niños han amado la escena, y para ella hicieron sus primeros ensayos en 1888, cuando aún estaban en la adolescencia. Vivían entonces en Sevilla, cerca de la cual habían nacido, en Utrera, Serafín en 1871 y Joaquín en 1873. Más tarde se trasladaron a Madrid, donde pasaron algunos apuros para ganarse la vida y para darse a conocer como autores dramáticos. Estrenaron muy poco antes de 1897, que es la fecha de sus primeros triunfos, a partir de los cuales toda su vida ha sido consagrada a una constante y fecunda producción literaria, casi exclusivamente dramática.

Nada raro ni anormal ofrece la vida y el carácter de estos dos escritores, si es que no miramos como rareza y anormalidad el carecer de ellas en una época en que la actividad literaria tomaba muy a menudo formas patológicas. Su vida como su obra se caracterizan por la salud y la honradez. Fuera de su actividad literaria, apenas se sabe nada de sus ideas y de sus acciones, por vivir discretamente alejados de todos los campos de discusión y de batalla. Su arte parece ser el único ideal de su vida, y fuera de él, seguir la «senda escondida» de los discretos que quieren ser felices, sin dejarse seducir por los aplausos ni desanimar por los ataques.  Cierto es que han gozado de los primeros como pocos autores y que han logrado un éxito más constante y más igual que ninguno de sus contemporáneos.  Ni han tenido, como otros, dificultad para ser comprendidos desde el principio, ni su popularidad ha sufrido alternativas de entusiasmo y de reacción.

Se debe esto a que su teatro está de lleno dentro de los gustos del público y corresponde a una tradición constante del teatro español.  Aunque su arte dramático era sumamente nuevo y original — porque para nada se necesita tanta originalidad como para resucitar con nueva vida las formas tradicionales del arte — todas sus raíces eran españolas, a diferencia del teatro de otros autores que por entonces se esforzaron por introducir en España todo género de influencias extranjeras. Los Quinteros son completamente modernos; pero su modernidad estriba en el hecho de haber resucitado la tradición española en todo aquello que es compatible con los ideales y los gustos de la nueva época.

Hay en el teatro español dos tradiciones genuinamente nacionales que se han desarrollado paralelamente a través de toda su historia: una la de la «comedia» clásica, poética, romántica y convencional, tejida con acciones extraordinarias e inspirada en los ideales más queridos del pueblo español, la comedia de Lope y de Calderón, de Zorrilla y de Marquina; y otra la de los entremeses y sainetes, las piezas cortas de carácter cómico y realista, pintura veraz de tipos y escenas de la vida ordinaria y común, cuyo valor está en coger los rasgos salientes de fisonomías reales cuya gracia está en ser como son, en la naturaleza misma de su carácter.  Esta última tradición, que arranca de los pasos de Lope de Rueda, que culminó en los entremeses de Cervantes, que fué cultivada en el siglo XVII por numerosos autores, entre los que descuella Quiñones de Benavente, y que fué continuada por Don Ramón de la Cruz en el

siglo XVIII, Don Manuel Bretón de los Herreros en el Romanticismo, Don Ricardo de la Vega y los innumerables autores de
género chico en el siglo XIX, es la que los Quinteros recogen y
continúan en nuestro tiempo llevándola al mayor grado de
perfección y plenitud que probablemente ha alcanzado nunca.

No se trata en la obra de los Quinteros de una imitación
literaria de las obras anteriores, sino de una identidad de actitud estética. Siendo este un teatro esencialmente de costumbres, el modelo ha cambiado con el tiempo, y cada uno de los
autores citados, al poner sus ojos sobre la realidad, ha trascrito
con exactitud admirable los rasgos típicos de aquella realidad
concreta en lo que tenían de más expresivo y de más cómico.
Los Quinteros concentraron su poder de observación sobre un
mundo particular, que llevaba en sí una fuerza extraordinaria de
carácter y de gracia: el mundo de la ciudad en que habían
nacido, Sevilla, y en general de su tierra andaluza. La mayor
y la mejor parte de sus obras consiste en la pintura de la vida
andaluza con sus tipos y sus escenas inconfundibles. Podría
creerse, según esto, que sus obras padecerán del localismo
regional del modelo, y que por lo tanto su valor ha de ser local
y pasajero, sin más alcance que el de satisfacer nuestra curiosidad por costumbres extrañas y pintorescas. Pero no es así,
porque ningún español puede considerar nada andaluz ajeno
a él. Y de hecho no lo considera.

Tiene Andalucía un carácter propio y único, tan intenso y tan
encantador que no puede confundirse ni olvidarse. Pero este
carácter es una modalidad o más bien una transformación del
carácter castellano. Andalucía fué históricamente una expansión de Castilla. Al extenderse hacia el sur Castilla la vieja,
nació Castilla la nueva; con la misma propiedad podría llamarse
« Castilla la novísima » a esta tierra andaluza que fué la última
expansión de Castilla, o sea, de España, hacia el sur de la Península. La expansión continuó a través del mar en el continente
americano; por eso la España americana tiene muchos puntos
de contacto y de semejanza con la España andaluza, y los ameri-

canos de origen español están capacitados, tanto como los españoles, para comprender todo lo andaluz como cosa propia. Los caracteres propios de Andalucía, por muy diferentes que nos parezcan de los de Castilla — y a menudo se juzgan antitéticos — son sin embargo no más que una exageración, un amaneramiento, un refinamiento de los caracteres que en forma más natural, más fuerte, más ruda y más sencilla encontramos en Castilla. Andalucía, por la acción de su clima suave y quizás por el efecto de los restos de las civilizaciones decadentes y refinadas que se habían dado en su suelo, vino a ser lo que es: una Castilla más blanda, graciosa y elegante.

Lo mismo puede decirse del dialecto andaluz en que están escritas casi todas las obras de los Quinteros. En el andaluz no hay ningún rasgo que no sea o haya sido o pudiera ser castellano; es, sencillamente, una evolución o transformación de éste. Está en una categoría completamente distinta de otros dialectos españoles, que son una evolución o transformación del latín, y que, aunque hermanos de él, son distintos del castellano desde sus orígenes. El andaluz es en el fondo la lengua castellana popular, con ciertas particularidades propias que consisten, por una parte, en la conservación de palabras y giros arcaicos antes generalmente usados, y por otra en una evolución fonética más avanzada, que se caracteriza por la pérdida de muchos sonidos y por la transformación de algunos otros. No hay nada en el andaluz que no sea fácilmente inteligible para cualquier persona de habla española, y por eso obras escritas en andaluz, como las de los Quinteros, pueden ser entendidas y gustadas por todos los españoles y miradas por ellos como algo propio y nacional y no extraño ni local.

Es además un hecho que esa manera de hablar de los andaluces, como en general su manera de ser, produce en el resto de los españoles una impresión agradable, tanto que bastan los gestos y la pronunciación andaluces para prestar a quien los tiene, tanto en la vida como en el teatro, una cierta gracia. Con este material tan apropiado han construído los Quinteros su

teatro cómico y realista, que, como puede comprenderse después
de todo lo dicho, tiene la amplitud de un teatro nacional a
pesar de su localismo o más bien por él mismo.

Los Quinteros han aplicado a esa realidad andaluza — como
más adelante en otras obras al mundo madrileño — no sólo su
poder de observación, sino su poder creador y poético, su capacidad de infundir en la realidad observada la nueva vida del arte.
Hay quien cree que la labor de los Quinteros consiste solamente
en recoger observaciones de la realidad y catalogar, como si
dijéramos, los dichos graciosos que han oído a las gentes de su
tierra y los tipos cómicos que han visto en ella. Esto sería como
pensar que Cervantes creó a Sancho Panza recogiendo de labios de los campesinos españoles los refranes que tienen siempre
en ellos; que los ojos de Velázquez al reproducir la realidad de
una escena familiar en « Las Meninas » actuaron a la manera
pasiva y mecánica de una lente fotográfica. Reproducir la
realidad, ver lo que se tiene delante de los ojos tal como es, ha
sido hasta ahora la más original, elevada y difícil creación
artística. Y los Quinteros están dotados de ese maravilloso
poder de creación: los personajes, las escenas, el ambiente
viven en sus obras con vida plena y armónica, de tal modo que
sin conocer el modelo tenemos siempre la sensación de encon-
trarnos ante una realidad verdadera.

El realismo de los Quinteros es riente y optimista, porque
toca más bien a lo externo que a lo interno de la vida y de los
hombres. Su arte es francamente cómico, sin que llegue nunca
a la complejidad del humorismo. Su mundo no tiene profundi-
dades misteriosas: es claro y riente, como la risa franca, como
la vida despreocupada, como las almas sanas y equilibradas
que no han sido torturadas ni trabajadas por problemas com-
plejos ni por grandes dolores. Se creería según esto que es el
suyo un arte superficial, y no lo es por cierto; es un arte
acabado y perfecto mientras se ha limitado a dar vida a la
superficie de las cosas y de las almas, mientras se ha aplicado a
los seres y a los hechos que, como los que forman la trama ordi-

naria de la vida, tienen poco fondo.   Aunque todos los seres y
todas las horas de la vida ruedan sobre un fondo insondable,
el hecho es que vivimos sin darnos cuenta de ello, y que las
más de nuestras horas y nuestros dichos y nuestras acciones
carecen de sentido profundo y son de una agradable y consoladora superficialidad.   Aunque el dolor y la tragedia nos envuel-
ven por todas partes y nos acechan en todos los caminos, el
vivir no es sino rara vez dolor y tragedia.   Gracias a que estamos
hechos de modo que podemos flotar sin miedo y sin esfuerzo
sobre las aguas sin fondo, la vida humana es posible y se nos
aparece las más de las horas como el más precioso de los bienes.
Y el placer del hombre sano que nada confiado y gozoso sobre
las aguas de un mar misterioso y profundo no es menos humano
que el terror del náufrago que se agita desesperado sobre esa
misma superficie al sentirse sobrecogido por el peligro y la
muerte.  ¡ Divina inconsciencia que permite al hombre vivir
riendo, y divino el arte que está hecho de risa franca, de pura
gracia consoladora !

De esta gracia y esta risa está hecho el arte de los Quinteros
en sus mejores obras, y por eso es un arte sano, verdadero y
humano.   No sé bien por qué está tan arraigado en las gentes el
prejuicio de que el arte cómico es de calidad inferior al arte
trágico; por qué solemos pensar que la gravedad y el llanto
son actitudes humanas más respetables que la gracia y la
risa, y nos parecen menos dignas del hombre las contorsiones
de la risa que las del llanto.   El hecho es que muy a menudo
los panegiristas de los Quinteros se esfuerzan por excusarles
de que nos hayan hecho reír tanto, y en demostrar que son
*más* que saineteros.  ¡ Como si esto no fuera bastante para su
gloria !   Ellos mismos parece que han tratado de librarse de
este dictado llevando a algunas de sus comedias problemas
sentimentales teñidos de dolor y de tristeza, pero estas obras
evidentemente constituyen la parte más endeble de su teatro.
¿ Por qué ha de ser inferior el arte cómico ? ¿ Es que se olvida
que muchas obritas ligeras de la antigüedad llevan en su gracia

una fuerza de inmortalidad mayor que las obras más serias de aquel entonces? Los pasos de Lope de Rueda son los que salvan a este autor del olvido en que habría caído si no hubiese escrito más que sus pastorales y demás comedias que él sin duda creía de mayor valor. Y el Cervantes de los entremeses, y no el de sus comedias y tragedias, es el que nos parece digno de compararse con el Cervantes que escribió el *Quijote*. Todas las tragedias imitadas del francés que se escribieron en el siglo XVIII han sido olvidadas, mientras se siguen leyendo con placer los sainetes de Don Ramón de la Cruz. ¿No es posible que dentro de un siglo o quizás antes se hayan olvidado las más de las obras dramáticas de altos vuelos que en nuestro tiempo se han escrito, y que en cambio conserven toda su frescura los cuadros ligeros y graciosos de *La reja*, *El patio* y *La buena sombra*? Yo me siento inclinado a creer que de todo el teatro de esta época lo que lleva en sí más fuerza de perduración y con más probabilidad sobrevivirá a todos los cambios de la moda son los sainetes de los Quinteros.

Sus primeros éxitos fueron logrados con obras de este tipo en 1897, como hemos dicho. El entremés *El ojito derecho* y la comedia *La reja* fueron estrenados en dicho año, y en 1898 la zarzuela *La buena sombra*. Estas tres obras maestras inician tres formas diversas del teatro de los Quinteros que en el fondo son idénticas. Con estas y con otras muchas obras que siguieron escribiendo infundieron nueva vida tanto a la comedia como a la zarzuela. Ellos salvaron a la comedia de la vulgaridad e insignificancia en que había caído en el último tercio del siglo XIX, cuando los autores entretenían al público con comedias en las que la risa nacía de situaciones artificiales y exageraciones caricaturescas. En las obras de los Quinteros, en cambio, la gracia era de buena ley porque nacía del carácter mismo de los personajes y de los primores del diálogo. Ellos salvaron también de la decadencia que en él se iniciaba al « género chico » (o sea la zarzuela o « comedia musical » en un acto), el teatro más genuinamente nacional de la segunda

mitad del siglo XIX, que los Quinteros llevaron a una perfección
y dignidad artísticas rara vez alcanzadas en dicho género. Es
decir, que prefirieron renovar y vivificar el teatro popular, más
bien que llevándolo por nuevos caminos, manteniendo y
elevando lo mejor, lo más puro y más artístico de la buena tradición. Esta buena tradición resultaba coincidir con las
tendencias nuevas del teatro a que otros autores, sobre todo
Benavente, habían llegado por el camino de la influencia euro-
pea. El teatro de los Quinteros, a su modo popular, significaba
una reacción contra el teatro falso y efectista que dominaba
antes, tanto en la comedia como en el drama. Sus obras son
naturales y realistas; la acción tiene en ellas muy escasa importancia. Su técnica consiste en la aparición sucesiva de
tipos de fisonomía bien dibujada y de escenas significativas y
bien construídas. El interés de las obras está, mucho más que
en lo que ocurre, en lo que dicen los personajes en sus conversa-
ciones divertidas e ingeniosas. Un raudal inagotable de chistes
— la forma típicamente andaluza de la gracia — mantiene a los
espectadores en una risa constante. En sus obras más carac-
terísticas, tales como *La reja* o *El patio* (1900), la unidad de la
obra la da un sitio, que sirve de marco a una serie de tipos y
de escenas habituales, llenos de vida, de color y de gracia.

Poco después, en 1900, ensancharon el campo de su teatro en
una obra de más extensión, *Los galeotes*, que es una comedia
perfecta, tanto en sus elementos como en la unidad de la
acción y en el sentido moral que encierra. A este gran acierto,
que significó el triunfo definitivo de los Quinteros como autores
dramáticos, siguió poco después otra obra, *Las flores* (1901), que
si al principio no fué bien comprendida por todo el público, ha
sido siempre considerada por las personas más cultas como una
de las obras más bellas de su teatro. Los Quinteros, como todos
los buenos realistas, son en el fondo poetas, y *Las flores* es la
comedia en que nos han dado su visión poética de Andalucía,
del alma suave, delicada, naturalmente elegante, que hay en
la luz, los colores y los aromas de aquella tierra y en el carácter

de su pueblo.  El pueblo andaluz, ligero y alegre en la apariencia, es en el fondo triste, con una tristeza fina y contenida, melancólica y poética.  El ambiente andaluz, que tiñe las almas y la naturaleza de esta mezcla tan bella de gracia y de melancolía, es el verdadero protagonista de *Las flores*, obra por la que los Quinteros — modernos y tradicionales a la vez — se enlazan con el lirismo dominante en el teatro contemporáneo.

Han escrito los Quinteros unas ciento veinte obras, de todas formas y tamaños.  Y su arte es tan honrado y tan seguro, tan mesurado y de tan buen gusto, que sería difícil encontrar entre tantas obras alguna que sea un completo desacierto y muy pocas de valor dudoso.  La mayor parte se mantienen en el mismo nivel de dignidad y seguridad artísticas.  Es cierto que el público ha manifestado su predilección por algunas obras; pero cuando uno lee o ve representar las obras menos famosas y al parecer más insignificantes de los Quinteros, siente muchas veces que se encuentra ante una obra maestra que es, en su género, insuperable.  Entre las obras que más éxito han alcanzado está *El genio alegre* (1906), obra que sintetiza el sentimiento optimista y saludable de la vida que tienen estos autores, que sólo pierde su encanto cuando han tratado de convertirlo en una filosofía.  Entre sus comedias de costumbres podría escogerse *Puebla de las mujeres* (1912) como una de las mejores.  Entre sus comedias sentimentales — de un sentimentalismo demasiado blando e ingenuo que se salva sin embargo por su sabor popular — la obra que mayor emoción ha producido en el público es *Malvaloca* (1912).

Las más de las obras de los Quinteros, como ya se ha dicho, están escritas en dialecto andaluz.  No ocurre así con la obra que publicamos a continuación, que está escrita en el más sencillo y terso castellano.  Este hecho, unido a la universalidad del tema, la habilidad dramática con que está compuesta y el delicado encanto poético que de ella trasciende, explican que esta obra haya sido escogida otras veces también para iniciar a los extranjeros en el conocimiento del teatro de los Quinteros.

Ha sido traducida quizá más que ninguna otra de sus obras.
Cierto es que mucho del encanto local y concreto del arte de los
Quinteros ha desaparecido en esta obra, por el mismo hecho de
ser más universal e idealista. Pero queda en ella, aun en forma
más pura y sencilla, la esencia de su visión optimista y poética
de la vida. Y si la Andalucía, que constituye el alma y el cuerpo
de su teatro, no llena *La flor de la vida* con su alegría y luminosidad, no deja de sentirse sin embargo en el fondo de la acción y
en la mezcla de gracia y melancolía de que están hechas las
almas de los personajes, que parecen andaluces aunque no lo
son.

Es posible que esto que queda en *La flor de la vida* de un teatro
tan castizo como el de los Quinteros sea lo único que pueda ser
gustado y comprendido a perfección por los extranjeros. Sin
embargo, aunque mucho de lo mejor de este teatro sea realmente intraducible, ha tenido gran aceptación fuera de España.
En Italia, sobre todo, donde una mayor semejanza de carácter
y de lengua hace posible una traducción más fiel y matizada,
los Quinteros gozan de verdadera popularidad. Pero abundan
las traducciones de sus obras en lenguas tan extrañas al espíritu andaluz como el alemán y el portugués, y en menor
escala, en francés, holandés e inglés. No aconsejaríamos a nadie
que sepa español que lea las obras de los Quinteros en traducción; pero la lectura de sus obras en su propia lengua es indis-
pensable a quien quiera conocer y gustar a fondo la manifestación más genuina y más castiza del arte dramático español
contemporáneo.

F. DE O.

## NOTA BIBLIOGRÁFICA

LISTA SELECTA DE OBRAS: — *Esgrima y amor.* Juguete cómico (1888, Primera obra). — *El ojito derecho.* Entremés (1897). — *La reja.* Comedia en un acto (1897). — *La buena sombra.* Zarzuela en un acto (1898). — *El chiquillo.* Entremés (1899). — *El patio.* Comedia en dos actos (1900). — *Los Galeotes.* Comedia en cuatro actos (1900). — *El nido.* Comedia en dos actos (1901). — *Las flores.* Comedia en tres actos (1901). — *Los piropos.* Entremés (1902). — *La dicha ajena.* Comedia en tres actos (1902). — *Pepita Reyes.* Comedia en dos actos (1903). — *El amor que pasa.* Comedia en dos actos (1904). — *Mañana de sol.* Paso de comedia (1905). — *El genio alegre.* Comedia en tres actos (1906). — *El niño prodigio.* Comedia en dos actos (1906). — *La flor de la vida.* Poema dramático en tres actos (1910). — *Puebla de las mujeres.* Comedia en dos actos (1912). — *Malvaloca.* Drama en tres actos (1912). — *Nena Teruel.* Comedia en dos actos (1913). — *Así se escribe la historia.* Comedia en dos actos (1917). — *Pipiola.* Comedia en tres actos (1918). — *La madrecita.* Cuadros de costumbres (1919).

*Comedias escogidas*, Madrid, Renacimiento, 1910-1912. Contiene: Tomo I: Los Galeotes, El patio, Las flores. — Tomo II: La zagala, Pepita Reyes, El genio alegre. — Tomo III. La dicha ajena, El amor que pasa, Las de Caín. — Tomo IV: La musa loca, El niño prodigio, Amores y amoríos. — Tomo V: La casa de García, Doña Clarines, El Centenario.

*Teatro.* Prólogo de R. Altamira, Paris, J. M. Dent; New York, E. P. Dutton, 1916. Contiene: Las flores, El amor que pasa, Nena Teruel.

*Teatro completo*, Madrid, Sociedad general de Librería (en publicación).

## Estudios

P. González Blanco, *El teatro de los hermanos Quintero*, en *La Lectura*, 1902, II, págs. 317-329.

M. Bueno, *Teatro español contemporáneo*, Madrid, 1909.

F. Martín Caballero, *Vidas ajenas*, Madrid, 1914.

S. G. Morley, Introduction to *Doña Clarines*, Boston, 1915.

R. Pérez de Ayala, *Las máscaras*, Madrid, 1917.

J. G. Underhill, *The one-act play in Spain*, en *The Drama*, 1917, VII, págs. 15-116.

L. Uriarte, *El retablo de Talía*, Madrid, S. A.

M. Coindreau, *Les frères Álvarez Quintero*, en *Hispania*, Paris, 1918, I, págs. 306-311.

L. Lopez Roselló, *Las últimas creaciones dramáticas de los Quintero y Benavente*, en *Revista Calasancia*, 1919, VII, págs. 205-13.

G. Douglas, *The Plays of the Brothers Álvarez Quintero*, en *Quarterly Review*, London, abril, 1919.

C. A. Turrell, *Contemporary Spanish Dramatists*, Boston, 1919.

Azorín, *Los Quinteros*, Madrid, 1925.

# LA FLOR DE LA VIDA

## POEMA DRAMÁTICO EN TRES ACTOS

Estrenado en el Teatro Odeón, de Buenos Aires,
el 23 de Junio de 1910

# REPARTO

# ACTO PRIMERO

Frondoso paraje en las inmediaciones de Solar de la Montaña, humilde cuanto heroica ciudad del Norte de la Península española. Al fondo, entre los árboles, se adivina el mar, que refleja el sol de la tarde. Del primer término de la derecha del actor hacia el segundo de la izquierda, un arroyuelo tortuoso atraviesa el recinto, entre grandes piedras, que sirven de asientos naturales. La acción es a principios del siglo XIX y en el mes de Mayo.

Dentro, no muy lejos, óyese cantar a ÁUREA, acercándose, la canción siguiente:

ÁUREA.  El viejo limosnero
         de esta mañana,
         en un corro de gentes
         así cantaba:
         — Entre espinas y entre flores,          5
         entre risas y dolores
         yo siempre fuí:
         lo mejor que hallé en mi senda,
         de mi vida como ofrenda
         yo os traigo aquí.                        10
            Para los niños un anhelo,
         para las mozas un amor,
         para los hombres un consuelo,
         para los muertos una flor.

(Sale. Es hija de los Duques de la Fontana, señorones de   15
noble estirpe, ricos en hacienda, y que no obstante lo puro
y limpio de su escudo y lo repleto de sus arcas, tienen sólo
en su hija riqueza que vale por todas las demás. Linda,

3

*gentil, inquieta, ardiente, soñadora; de charla clara y abun-*
*dante, espontánea y sencilla; de risa fresca, pronta y fácil;*
*de singular delicadeza y finura, y graciosamente enamorada*
*de su persona. Ésta es Áurea. Trae un manojo de flores*
5 *campestres.)*

¡ Ay ! ¡ Bien haya el viejo limosnero que así cantaba !
(*Llamando y mirando hacia la derecha.*) ¡ Don Leandro !
¡ Don Leandro ! ¡ Por amor de Dios, deje ya las hormigas
dichosas y véngase aquí a hacerme compañía ! ¿ Es que
10 no valgo yo por todo el hormiguero ? ¡ Véngase aquí ! . . .
Nada: como si no fuera con él. Es de cal y canto. (*Vol-*
*viendo a la canción.*)

Para los niños un anhelo,
para las mozas un amor . . .

15 ¡ Don Leandro ! ¡ Mire qué lagarto me ha salido al encuentro y va a comerme ! Inútil. Cuando está siguiendo
a una hormiga, ya se puede juntar el cielo con la tierra.
(*Terminando la canción empezada.*)

. . . para los hombres un consuelo,
20 para los muertos una flor.

Prefiero que me acompañe en estos paseos el padre Gonzalito. Él me recitará siempre su oda en latín a Carlos IV,
pero luego oye con atención cuanto a mí se me antoja
decirle. Que no suele ser poco. Y esta tarde yo quiero
25 hablar, y ese pasmarote . . . Y quiero hablar, quiero hablar, necesito hablar . . . ¿ Con quién hablaré yo, Dios mío ?
(*Gritando.*) ¡ Eco ! . . . ¡ Eco ! . . . No me sirve: no hace
más que repetir mi voz. Si de entre estas piedras saliese,
como en los cuentos, un enano, ¡ qué gusto hablar con él !
30 Pero ya lo puedo esperar, que no sale. (*Mirándose en el*

*agua del arroyo.*) ¡Ay, qué bien! Parece que estoy dentro del agua. El cielo y yo. ¡Qué bonita me veo! En el fondo, el cielo; en lo alto, el cielo; y en medio de los dos cielos, mi persona. Toda mi persona: los pies, la falda, la cintura, el pecho, los brazos, las manos, los cabellos, la cara... (*A la imagen que copia el agua.*) ¡Fea! (*Se ríe.*) ¡Dios mío, si me oyese el padre, que dice que el propio elogio es vanidad, y la vanidad es pecado!... Pero no; no me oye el padre. ¡Qué más quisiera yo! Hablaría con él, si me oyera. Y el gusto de hablar me endulzaría el amargor del récipe. Ni me oye el padre, ni sale el enano, ni siquiera pasa piando un pajarito... Sólo escucho allá lejos el rumor del mar. (*Canta otra vez completa la canción del viejo limosnero. Dentro, hacia la derecha del fondo, se oye preguntar a Cellini.*)

CELLINI. ¿Quién canta?

ÁUREA. ¿Eh?

CELLINI. ¿Quién canta por aquí?

ÁUREA. ¿De dónde me hablan? ¿De quién es esa voz? ¿Será el enano de estas piedras? A nadie veo. (*Mirando hacia el fondo.*) ¡Ah, sí! De entre esos árboles sale un hombre. Y no es enano, no. Bien venga, para hablar conmigo, sea quien sea. Pero ¿cómo Ramón el guarda lo dejó entrar en el cercado?... No lo habrá visto. Yo me alegro. Y don Leandro sigue que te sigue a su hormiga. Mejor para mí. ¡Qué despacio viene el aparecido! Y es joven. Y apuesto. (*Se compone y retoca, vuelve a mirarse en el arroyo, y espera en silencio a que llegue el aparecido.*)

(*Sale Cellini. Es un mocetón erguido y fuerte que viste con humildad y modestia. Sus ojos están fijos en el espacio. Se apoya en un bastón hecho de una rama desnuda.*)

CELLINI. ¿Hay alguien en este lugar?

ÁUREA. Sí.

CELLINI. ¿Quién?

ÁUREA. Yo.

5 CELLINI. Mujer parece.

ÁUREA. Pero ¿no me ves?

CELLINI. No.

ÁUREA. ¿Eres ciego?

CELLINI. Ciego soy, por mi desventura.

10 ÁUREA. (*Acercándosele.*) ¡Qué pena! Es ciego. No me ve. ¡No puede verme! (*Dice esto con la tristeza de quien cree que no ver su hermosura es la mayor desgracia de la tierra.*)

CELLINI. Me he perdido en la espesura de este bosque y 15 quisiera dar con el camino real que lleva a la ciudad, para estar en ella antes que el sol se ponga. ¿Estoy muy lejos?

ÁUREA. No; muy cerca.

CELLINI. ¿En qué sitio estoy?

ÁUREA. En un cercado de los Duques de la Fontana.

20 CELLINI. ¡Ah! ¿Eres tú Mariuca, la hija del guarda del cercado?

ÁUREA. ¿La conoces tú?

CELLINI. No; pero mucho hablan de ella los mozos mis amigos.

25 ÁUREA. (*Conteniendo la risa.*) Pues sí, Mariuca soy.

CELLINI. Buen encuentro he tenido. ¿Quieres tú guiarme al camino real, Mariuca?

ÁUREA. ¡Ya lo creo! Ven. Dame la mano. (*Se la da Cellini y al tocar la de Áurea, estremeciéndose, la retira.*)

30 CELLINI. ¡Oh, no! Tú me engañas: tú no eres Mariuca.

ÁUREA. ¿Por qué lo dices?

CELLINI. Porque no es tu mano la de una pobre.

ÁUREA. Pues sí soy Mariuca; sino que mi padre sueña en casarme con un hidalgo y no quiere que yo labre la tierra, sino que me perfile y componga como una señorita para merecerlo.

CELLINI. Ya ...

ÁUREA. ¿ Dudas aún?

CELLINI. No. Cuando así me lo dices ... Guíame, ya que eres tan buena.

ÁUREA. Al camino real se sale muy pronto. ¿ Llevas gran prisa ?

CELLINI. Alguna llevo. El temor de impacientar a mis padres, que se alarman si no vuelvo a casa antes de la noche.

ÁUREA. La noche tarda todavía.

CELLINI. ¿ Tarda ?

ÁUREA. Sí. Para ti siempre es noche, ¿ verdad ?

CELLINI. Siempre.

ÁUREA. Siéntate a descansar un poco. Quiero hablar contigo.

CELLINI. Y yo contigo, Mariuca. ¿ Dónde he de sentarme ?

ÁUREA. En estas piedras. Ven aquí.

CELLINI. (Después de sentarse.) Dios te pague el favor y la compañía.

ÁUREA. Y a ti la charla. ¿ Naciste ciego ?

CELLINI. No. Perdí la vista a los cinco años.

ÁUREA. Entonces ...

CELLINI. Sí: conozco las formas y los colores de las cosas. Sé que el mar es inmenso, y el cielo azul, y las estrellas blancas, y los campos verdes ... y las rosas como la mano que me diste.

ÁUREA. ¿ Como mi mano es tu recuerdo de las rosas ?
(*Recreándose en ella.*) Todavía no le debo una flor así a
ninguno de los que pueden verla.

CELLINI. Dime, Mariuca: ¿ eres tan bonita como es
5 fama ?

ÁUREA. Yo no sé ... no entiendo ... Así para asustar
a los niños dicen que no soy.

CELLINI. Pero ¿ a ti qué te dice el espejo cuando te ves
en él de frente ?

10 ÁUREA. Me dice ... pues me dice que busque otro espejo para mirarme de perfil. (*Se ríen.*) Pero más que en
los espejos de casa suelo mirarme en este arroyito a cuya
orilla estamos.

CELLINI. ¿ Y el arroyito te habla también ?

15 ÁUREA. También.

CELLINI. ¿ Y qué te dice ?

ÁUREA. De la mano, lo mismo que tú: parece ciego.

CELLINI. ¿ Cómo son tus ojos, Mariuca ?

ÁUREA. Negros son.

20 CELLINI. ¡ Negros ! ¡ Los más bellos de todos !

ÁUREA. ¿ Qué sabes tú ? A la edad en que dejaste de
ver, ¿ quién distingue de la belleza de los ojos ?

CELLINI. Yo. Eran negros los de mi madre.

ÁUREA. ¿ Cómo te llamas ?

25 CELLINI. Cellini.

ÁUREA. ¿ Cellini ? ¿ Eres tú el Cellini famoso ? ¿ El
hijo de la mesonera ?

CELLINI. No. El famoso, como tú le nombras; el loco,
como le nombra todo el mundo, es un hermano mío: Berto.

30 ÁUREA. ¿ Berto ?

CELLINI. Berto, sí.

ÁUREA. Ya. Cuentan de él tantas aventuras ...

CELLINI. Y las que han de contar aún.

ÁUREA. Dicen que un día se vistió de fraile y se fué a predicar a una aldea, donde movió tremendo revuelo. ¿ Es así ?

CELLINI. Así es. Cuando se enteró el alcalde de la superchería, lo quiso meter en la cárcel; pero la plática, que fué sobre el amor, había cautivado tanto a las mozas y á los mozos del pueblo, que no sólo impidieron que el alcalde llevase adelante su designio, sino que le dieron al fraile contrahecho una comida y una serenata. (*Áurea suelta la risa.*)

ÁUREA. ¡ Eso está bueno !

CELLINI. Ha cometido mil diabluras. Le seduce fingirse otra persona, sea quien fuere, porque dice que no está contento con ser un hombre solo.

ÁUREA. Pues ¿ qué quiere ser ?

CELLINI. Quiere valer y servir por veinte hombres. Él se lamenta de esa falta explicándonos que con su fantasía está en mil sitios a la vez, y con su cuerpo nada más que en uno. Y esto le desespera.

ÁUREA. Pues sí que es loco. ¡ Un hombre que quiere ser veinte hombres distintos ! ¿ Tiene novia tu hermano ?

CELLINI. ¿ Por qué lo preguntas ?

ÁUREA. Porque si es celosa . . . ¡ pobrecita ! ¡ con el novio en veinte partes a un tiempo . . . y ella sin verlo más que en una ! ¡ Jesús ! (*Ríe Cellini.*)

CELLINI. Son imaginaciones y disparates suyos. Desde muy niño fué tan fantaseador y alocado. Mis padres pusieron empeño en educarlo bien, y él se prestaba mucho a ello. Devoraba cuanto libro caía en sus manos: de historia, de geografía, de viajes, de inventos, de poetas . . . A mí, como no puedo leer por mis ojos, me lee mil novelas y

farsas de entretenimiento. Y a veces, cuando el desenlace
que les da el autor no va bien con sus gustos, o con lo que
él ya se ha forjado, lo cambia a su capricho y me lo lee
como si así estuviera escrito e impreso. Días pasados,
5 leyéndome la historia de los amantes de Teruel, que yo
conocía, la terminó casándolos cristiana y santamente.
Me quedé con la boca abierta.

ÁUREA. ¡Qué hombre!

CELLINI. ¿Tú estás aquí sola, Mariuca?

10 ÁUREA. No.

CELLINI. ¿Quién está contigo?

ÁUREA. A alguna distancia pasea a mi cuidado el ayo
de mi hermano mayor, don Luis. Sino que en vez de andar
a mi cuidado, anda al de las hormigas. Va a componer un
15 gran estudio de ellas, ¿ sabes ?, refiriendo cómo viven en el
invierno y en el verano, y las batallas que tienen entre
sí . . . y hasta los disgustos de familia. Y en cuanto ve
una hormiga que se le figura preocupada o singular por
cualquier estilo, o que tiene la cabeza más gorda que otra
20 que vió ayer, la sigue al fin del mundo. Cree que las hormigas son tan sabias como los hombres. Y a mí me
amenaza diciéndome que ellas le cuentan todas las picar-
días que hago a espaldas de él. Yo tengo para mí, Cellini,
que está más loco que tu hermano. ¿ De qué te ríes?

25 CELLINI. De considerar la privilegiada educación que
Ramón, el guarda de este cercado, les da a sus hijos.

ÁUREA. (*Comprendiendo.*) ¡Ah!

CELLINI. Te educa a ti para un hidalgo, y a tu señor
hermano don Luis le pone ayo a su servicio. ¡Sí, mi
30 señorita doña Mariuca, que es un grande hombre don
Ramón el guarda!

ÁUREA. (*Riéndose.*) ¡No sé mentir! Me descubrí en

seguida. Como me preguntaste si era Mariuca, te contesté
que sí para inspirarte confianza. Discúlpame el engaño.
Acostumbrado a los del fraile tu hermano, este mío te
parecerá pueril e inocente, ¿ no ?

CELLINI. ¿ Cómo no ? Pero, dime ahora; si no eres   5
Mariuca, ¿ quién eres ? La verdad.

ÁUREA. La verdad: soy Áurea.

CELLINI. (*Se levanta y se quita el sombrero respetuosamente.*) ¡ Áurea ! ¿ La hija de los Duques de la Fontana ?

ÁUREA. La misma. Pero, siéntate, bobo.     10

CELLINI. Perdón; no pude nunca sospechar . . .

ÁUREA. ¿ Perdón de qué ? Siéntate, Cellini. Con-
tinuemos hablando como hasta aquí.

CELLINI. No, no, señorita Áurea; temo incurrir en el
enojo de . . .     15

ÁUREA. ¿ De quién ? ¿ De don Leandro ? Don Leandro no se ocupa de ti. Ni de mí tampoco. Le basta y le
sobra con su hormiguero. (*Volviéndose hacia la derecha.*)
Ahora mismo no sé ni dónde anda. Espera, voy a ver . . .
(*Da unos pasos y mira como tratando de divisar al buen*   20
*señor.*)

CELLINI. ¿ No parece el ayo, señorita ?

ÁUREA. Sí; allí está. ¡ Sólo que va a gatas ! ¡ Ja, ja,
ja ! ¡ Si vieras tú, Cellini, te reirías como yo ! Siéntate.

CELLINI. No puedo, señorita Áurea. Me domina una   25
gran turbación desde que he sabido en presencia de quién
estoy. ¡ Áurea ! ¡ La hija de los Duques de la Fontana !
En todo Solar de la Montaña, y yo pienso además que en
todo el mundo, no hay boca que no pondere su belleza, a
ninguna otra humana comparable . . . Yo por mí juro, que   30
si tengo a gloria haber visto en mis años de niño, es porque habiendo visto alguna vez, me es dado ahora forjar su

imagen dentro de mí, tan bella como la pintan todos . . .
como una luz de oro en estas tinieblas en que vivo . . .
¿ Áurea ?

ÁUREA.  Aquí estoy, Cellini.  Sigue hablando.

5   CELLINI.  ¿ Para qué ?

ÁUREA.  Porque me gusta oírte.  Toda la luz que falta
en tus ojos, tienen para mí tus palabras.

CELLINI.  ¿ Sí ?

ÁUREA.  Sí.  Jamás las escuché más claras, más alegres,
10  más bonitas . . . Sigue hablando.

CELLINI.  ¿ Lo quiere usted ?

ÁUREA.  Lo quiero.  Pero vuelve a llamarme de tú;
como cuando creías que yo era Mariuca.

CELLINI.  ¡ Oh !  Eso no.

15  ÁUREA.  ¿ Por qué no ?  Si es preciso, lo mando.

CELLINI.  Como mandato, ya lo acepto.  Por servirte,
Áurea, eso y cuanto me pidas.

ÁUREA.  ¿ Tanto soy para ti ?

CELLINI.  Tanto eres.  Todos los hombres llevamos en
20  el alma una quimera, un ensueño, reflejo acaso del misterio
divino en que ninguno penetramos; luz increada del
espíritu, cuyo resplandor ideal nos da horas felices.  Pues
bien: mi ensueño, mi quimera, toma dentro de mí la forma
bella de tu ser, porque no concibo ninguna más alta y lumi-
25  nosa.  ¿ Comprendes ya, Áurea, todo lo que eres para mí ?

ÁUREA.  Y a dicha lo tengo, Cellini.  Porque nadie me
dijo nunca cosas tales.  ¿ Dónde y cómo las aprendiste ?
¿ Quién te las enseñó ?  ¿ Qué has puesto en tus palabras
que así me conmueven ?  ¿ Qué hay en ti que me hace
30  temblar ?  Te confieso, Cellini, que parece que me revo-
lotea un pájaro dentro del pecho.  ¡ Qué dolor que tus
ojos no vean !

CELLINI. ¿ Sufres por ello tú ?

ÁUREA. Sufro, sí. Un dolor infinito, Cellini; un dolor angustioso, nuevo, no sentido hasta ahora; un dolor muy del alma... ¿ Por qué, si me ven todos, tú no me ves ?

CELLINI. Áurea, yo no quiero que por mí sufras: yo te veo.                                                                                          5

ÁUREA. (*Absorta.*) ¿ Eh ? ¿ Qué dices ?

CELLINI. Que mis ojos no son ciegos, Áurea, y que si lo fueran, al sentir que por su causa lloraban los tuyos tan hermosos, verían con nueva luz. Te veo, Áurea, te veo.    10

ÁUREA. ¿ Me ves ? ¡ Ay, Dios mío ! (*Huye de él.*)

CELLINI. No grites, no te asustes.

ÁUREA. No grito, no. Pero asustarme... ¡ vaya ! ¿ Qué milagro o qué farsa es ésta ? ¿ Quién eres tú ?

CELLINI. Cellini el loco.                                                                                    15

ÁUREA. ¿ El loco ?

CELLINI. Sí. Cellini el ciego no es más que una ficción de Cellini el loco.

ÁUREA. ¿ Y quién te trajo aquí ? ¿ A qué viniste ?

CELLINI. A hablar contigo, Áurea. Fingí la ceguera    20
porque un ciego siempre inspira piedad... A un ciego
siempre se le escucha y se le acompaña.

ÁUREA. ¿ Y qué tienes tú que hablar conmigo ?

CELLINI. Tanto tengo, que nunca acabaría.

ÁUREA. ¿ Nunca ?                                                                                              25

CELLINI. Nunca. Y sólo cuento con estas horas, con
este azar.

ÁUREA. Pues ¿ qué quieres decirme ?

CELLINI. Ni yo mismo lo sé. Todo y nada. Todo, por
lo que siento; nada, por lo que puedo esperar.                                            30

ÁUREA. Cellini, yo no sé qué hay en ti, qué misterio
envuelve tus palabras, que te oigo desconcertada y con-

fusa. Y, a pesar de ello, cuanto más te oigo más deseo
oírte. Sentía esta tarde, antes de llegar tú, anhelo de
hablar, de hablar mucho, de hablar con quien fuera: con
los árboles, con el cielo, con el arroyo, con el mar ... Y
5 has llegado tú ... y me has dicho esas cosas ... y ya no
quiero más que oírte. Cellini, ¿ de cierto eres Cellini ?
¿ O me engañas ahora también ?

CELLINI. Ahora, no. Berto Cellini soy, Áurea. Y ojalá
fuese el hijo de un gran señor u ojalá fueses tú Mariuca.

10 ÁUREA. ¿ Por qué ? ¿ No es más gracioso vernos en
esta confianza siendo lo que somos ? A mí me gustas tú
porque eres Cellini. ¡ Si yo quería conocer a Cellini el
loco ! ¡ Oh ! Si fueras el hijo de un gran señor, no estarías
aquí poco menos que a solas conmigo. Estaríamos en mi
15 casa, en la sala de estrado, muy tiesos y muy circunspectos
los dos, viendo jugar al ajedrez a los señorones y a los frailes
tomar chocolate laborado en mi propia casa; oyendo a mi
padre celebrar con orgullo las hazañas de los parientes
muertos, y a mi madre ponderar a las buenas monjas en
20 cuyo convento crecí y que me enseñaron a escribir y a leer
y me infundieron el temor de Dios y del mundo. En cambio, Cellini, tú, sin temor de nada, penetraste aquí, donde
a nadie se deja entrar; burlaste al guarda, te fingiste ciego,
llegaste a mí, conseguiste mi simpatía, me hablaste en
25 lenguaje nunca oído, llenaste de revelaciones poéticas mi
soledad ... ¡ Oh ! Yo, esta tarde, prefiero no ser Mariuca ... por que tú seas Cellini.

CELLINI. ¡ Bien haya Cellini, que así es recibido por
ti ! Y pues sólo esta tarde hemos de hablarnos en la vida,
30 hablemos, Áurea, hablemos.

ÁUREA. ¿ Esta tarde no más ?

CELLINI. Y cuéntalo por un milagro. Mañana, Áurea,

en lugar del ayo vendrá contigo el fraile, vigilará el guarda y no entraré ... Diles tú a los Duques de la Fontana que quieres hablar con el hijo de Rosaura la mesonera, con el pobre hijo de Cellini el músico, que toca el órgano en Santa Marina, y a buen seguro que creerán que eres loca y te observarán con el mayor cuidado. Naciste muy alta; muy bajo yo. No importa que sienta alas en mi espíritu para pasar las nubes: mis alas no se ven. Ni quiero ni debo trastornar tu alma y tu vida. Muy pronto, según dicen, llegará de tierras andaluzas el esposo que tus padres los duques te buscaron entre sus iguales. No hablaremos más que esta tarde, Áurea.

ÁUREA. ¿ Me conoces hace mucho tiempo, Cellini ?

CELLINI. Sí; desde niño.

ÁUREA. ¿ Desde niño ?

CELLINI. El día de la romería de la Fontana te vestían tus padres de pescadora, a la usanza de la gente humilde, y te llevaban a la ermita, donde se te adoraba más que a la Virgen de los pescadores. Eras tú, para los niños pobres de aquel tiempo, regalo del cielo, criatura misteriosa de origen divino que los fascinaba con su presencia. Uno de tantos niños fascinados fuí yo.

ÁUREA. ¿ Tú ? No me acuerdo.

CELLINI. El último año que te llevaron los duques, escogí del campo las flores más lindas que hallé en el camino y formé un ramo con todas ellas. Al pasar tu carroza te lo ofrecí, y tus padres mandaron detener su marcha y me hicieron subir al lado tuyo. Yo, tan decidido al emprender mi aventura, me asusté de ella al verme allí. No sabía hablar, ni reír, ni respirar apenas ... Sólo sabía mirarte. Al llegar a la ermita me dijeron que te diera un beso.

ÁUREA.  ¿ Y me lo diste ?

CELLINI.  Sí.

ÁUREA.  ¡ Qué pena !  No me acuerdo.

CELLINI.  Besé en tu carita con mis labios de niño pobre,
5 y con superstición de devoto besé tu faldilla de pescadora.
¡ Oh, qué día aquél para mí !  En él fuí tocado de la gracia
de lo divino, que desde entonces le presta a mi alma estas
alas para volar.  Y aquella noche tuve insomnio, y sed, y
fiebre; y veló mi madre al pie de la cama.  Y yo charlaba,
10 deliraba; quería ser hombre, soldado, héroe, rey . . .

ÁUREA.  ¿ Y qué más, Cellini ?  Cuenta; que tu cuento
me sabe como ninguno.

CELLINI.  Pues te diré ahora lo que más me importa
decirte.  Mañana dejo estas tierras benditas y estos cam-
15 pos verdes y estos montes azules en donde corrió mi niñez.
Mi vida aquí ya no tiene objeto ni oriente.  Por el mundo
me voy con ambición de conocerlo.  En mi corazón de
niño sembraste el germen de este amor que hasta ti me
trajo este día . . .

20 ÁUREA.  ¿ Amor has dicho ?

CELLINI.  Amor es esto.  Loco, por ser mío; bello, por
inspirarlo tú;  puro, por imposible.  Tu vida será de algún
hombre que acaso te merezca, o de alguno que esté muy
lejos de merecerte;  pero al marcharme yo de Solar de la
25 Montaña, no quiero llevarme este secreto.  La confesión
que te hago es sin duda tan infantil y candorosa como lo
fué el beso que te di en la ermita de la Fontana;  pero
¿ por qué marcharme sin hacértela ?  ¿ Por qué no has de
saber tú, Áurea, siquiera valga para ti lo que un cuento
30 referido al hogar por una vieja, que has sido y eres la loca
ilusión de mi espíritu ?  Sábelo, sí: sabe que te adoré en
silencio;  que llenaste mis horas de adolescente;  que una

mirada tuya recogida al azar era para mí el sol de un año entero; que rondé cien noches los muros del convento en que te encerraron tus padres y los de tu casa cuando a ella volviste; que robé flores de tu jardín; que con sólo haberte visto en el mundo, doy por buena y dichosa la vida.  5

ÁUREA. ¿ Y qué más, Cellini, qué más ?

CELLINI. ¿ Eh ?

ÁUREA. ¿ Qué ?

CELLINI. Silencio: disimulo.

ÁUREA. ¿ El ayo ?  10

CELLINI. Sí.

ÁUREA. (*Contrariada: con candoroso enojo.*) ¡ Ah ! . . . ¿ Qué hormiga le habrá contado esto ?

CELLINI. (*Volviendo a la inmovilidad de sus ojos.*) ¿ Dice usted, hermana, que hacia la izquierda por aquí  15 adelante hay una vereda que puede llevarme al camino real ?

ÁUREA. Sí, sí. Pronto dará usted con la caseta del guarda, y él lo guiará. (*Como hablando con el preceptor.*) ¡ Es un pobre ciego, don Leandro, que se ha extraviado  20 en su camino ! (*Como respondiéndole.*) ¡ Yo no tengo la culpa ! ¡ Ya sé que hay un letrero, pero como es ciego, señor, el infeliz no ha podido leerlo !

CELLINI. ¿ Quién es ? ¿ Quién habla allá lejos, seño-rita ?  25

ÁUREA. No haga usted caso, hermano. Venga por aquí. (*Le da la mano y lo conduce hacia la izquierda, por el primer término.*) Observa. Forzoso es separarse.

CELLINI. Para siempre.

ÁUREA. ¡ Para siempre !  30

CELLINI. Sí. Así lo quieren la vida y los hombres. Ni para mí naciste, ni para ti yo. Pero tal vez entre nuestros espíritus, quede un beso constante y eterno. Adiós, Áurea.

ÁUREA.   Cellini, adiós.   (*Otra vez al ayo.*) ¡ Ya voy, don Leandro, ya voy ! — Ande el ciego camino adelante nora-
5 buena, y ojalá pronto vean sus ojos lo que quieran ver.

CELLINI.   Lo que habían de ver los ojos del ciego, lo vieron ya.   (*Desaparece.*)

ÁUREA.   ¡ Ya voy, señor, ya voy ! (*Encamínase perezo-samente hacia la derecha, sin dejar de mirar hacia el otro*
10 *lado.*) ¡ Qué sueño ! . . . ¡ Qué aventura ! . . . ¿ Soy yo la misma ? ¿ Soy yo la que era ? ¿ Esta tarde no se pone el sol ? ¿ Qué estaba yo haciendo cuando vino ese hombre ? ¡ Ah, si ! . . . Quería hablar . . . cantaba . . .

> Para los niños un anhelo,
15 > para las mozas un amor,
> para los hombres un consuelo,
> para los muertos una flor.

FIN DEL ACTO PRIMERO

# ACTO SEGUNDO

Salita en una quinta de recreo en Sevilla y en la margen del Guadalquivir. En el foro, hacia la derecha, una puerta, y hacia la izquierda
una ventana, por las cuales se ve un jardín que alumbra la luna.
Muebles severos y finos.   En las blancas paredes hay varios
cuadros de pinturas sencillas, y un retrato de caballero.   Una luz.
La acción es quince años después del primer acto.

Óyese lejos la campana de la verja del jardín, que anuncia la llegada
de una persona.   Poco después sale CELLINI, embozado en lujosa
capa.   Sus ropas todas, elegantes y ricas, ofrecen gracioso contraste con las que usaba en Solar de la Montaña.

CELLINI. (*Después de dar algunos pasos por la salita y
mirando hacia la misma puerta por donde ha llegado.*)
Nadie. (*Se asoma a la ventana.*)   Nadie en el jardín.
Hasta ahora no miente la carta.   Sonó la campana de la
verja, no he visto alma viviente, y hay luz en esta habita-     5
ción.   Esperemos.   Más me pesa la capa que la aventura.
(*Deja sombrero y capa en un mueble.*)   La noche es tibia y
perfumada, como para el amor.   Amor es lo que aquí me
trae: ¿ será amor por lo que aquí me llaman ?   *Chi lo sa!*
— que diría mi padre y señor. — Desde aquí, a través de   10
las frondas, y por cima de ellas se ven algunas luces de la
ciudad.   ¡ Sevilla !   ¡ Tierra de leyendas y de ensueños,
donde toda locura es posible !...   ¡ En buen hora entré
por tus puertas !...   (*Pasea meditando.*)   ¡ El Duque de
Él !...   ¡ el Duque de Él !...   (*Suelta la carcajada.*)   15
Berto Cellini, Duque de Él.   ¡ Bien suena el titulillo !
Poco trabajo me costó adquirir sangre azul y título sonoro.
El trabajo de discurrirlo no más.   (*Se acerca a la luz y lee*

19

*saboreándola una carta.)* « Duque de Él: a media legua
escasa de la Puerta Macarena, y en la margen de acá del
río, hay una quinta de recreo conocida por la Casa de los
Jazmines. Ve esta noche a las diez recatadamente, que te
5 importa. Y por si el importarte a ti solo no es bastante a
encender tu curiosidad, ve, que me importa a mí. Llega
a la verja, que cederá al impulso de tu mano, haciendo
sonar una campana. Nadie saldrá a tu encuentro. » Así
fué. « Sigue adelante por la ancha vereda del jardín, y
10 anda sin temor hasta dar en la puerta de la quinta, que te
parecerá que nunca llega, y que cederá también a tu
mano. » Así ha sido. « Entra sin temor. » ¡ Otra vez sin
temor ! Señora, no conocéis al Duque de Él. « Tampoco
hallarás a nadie en la casa. En una salita de la derecha
15 verás luz. Entra en ella, y espérame. » Y aquí estoy.
« Una mujer. » Y aquí la espero. ¡ Es ella ! ¡ Seguramente es ella ! *(Suena la campana de la verja.)* Y ya está
ahí. *(Aguarda anhelante la llegada de la mujer. Receloso.)*
Sentiría que fuese todo una burla de los sevillanos. No,
20 no es burla. Aquí está. ¡ Y es ella ! ¡ Es ella ! *(Sale
Áurea, tapada con mantilla o velo.)* Señora ... *(Áurea no
puede hablar de emoción. Con un ademán le indica a Cellini
que aguarde.)* ¿ Qué le pasa ? ¿ Debo esperar a que se
tranquilice ? No crea usted ... se me ha comunicado su
25 emoción ... *(Silencio.)* Cerraré esta puerta.

ÁUREA. *(Sin voz apenas.)* Sí.

CELLINI. Sí. *(Lo hace.)*

ÁUREA. *(Suspirando.)* ¡ Ay de mí !

CELLINI. ¡ Oh, voz divina ! ¡ Cómo no me engañé !
30 ¡ Y la oí en mi vida una vez tan sólo ! ¡ Y pasaron sin
oírla más de quince años ! ¿ Por qué lo primero que vuelvo
a oírle es un lamento ?

ÁUREA. (*Entre lágrimas.*)   ¿Es usted el Duque de
Él?

CELLINI. Lo soy, señora.   ¡Como pudiera ser el archipámpano de las Indias!   ¡Fuera de Dios, yo soy
siempre quien quiero!   ¡Áurea!                             5

ÁUREA. Áurea, no; la Condesa de Miraluz.

CELLINI. ¡La Condesa de Miraluz!

ÁUREA. (*Descubriéndose.*)   ¡Cellini!   (*Se estrechan las
manos.*)

CELLINI. Te esperaba, te deseaba.   ¡Qué hermosa!    10

ÁUREA. Hermosa, no.

CELLINI. Es cierto: hermosa, no: ¡divina!

ÁUREA. No, Cellini; no; las lágrimas destruyen la
belleza, y mis ojos han llorado mucho.

CELLINI. Lo sé.                                            15

ÁUREA. No lo sabes.   Cuánto una mujer llora, no
lo sabe nunca más que ella.   ¿Presumes a lo que aquí
vengo?

CELLINI. Tal vez... No sé... no lo quiero pensar.
Sé que estoy ante ti; sé que bendigo esta cita misteriosa.  20

ÁUREA. ¡Oh!   Esta cita... esta cita...   Mucho
vacilé antes de dártela...   ¡Pero tú eres quien eres!
Nada conozco de tu vida, pero eres quien eres.   Esta certidumbre me decidió a llamarte.   Temblando y llorando he
llegado aquí...   Tú no consentirás que llorando me vaya.  25
¿Verdad, Cellini?

CELLINI. ¡Verdad!   ¡Mil veces verdad!

ÁUREA. ¡Oh!   ¡Qué ciega confianza tenía en esto!

CELLINI. Pero, cálmate, Áurea.   Reposa.   Hablemos.
¡Qué momento!   ¡Vale por una vida!   ¡Qué noche!   ¡Y    30
creíamos habernos despedido para siempre allá en Solar
de la Montaña, la tarde aquella en que, fingiéndome ciego,

llegué hasta ti ! ¡ Quién le dice al alma adónde va y cuál
es su camino !

Áurea. ¿ Te acuerdas de aquella tarde, Cellini ?

Cellini. Si no me acordara, no sería yo Cellini. ¿ Te
5 acuerdas tú ?

Áurea. Más de una vez la he recordado en estos
años. ¡ Cellini !... ¡ El Duque de Él !... Cuando te
vi en los jardines públicos y me dijeron: « Aquél que allí
va es el famoso Duque de Él », me quedé absorta al
10 reconocerte.

Cellini. Pero, ¿ me reconociste al momento ?

Áurea. Al momento. Y comprendí en seguida también la leyenda que en Sevilla te envuelve. ¡ Cellini !
¡ Cellini el loco !... ¡ El Duque de Él !... Siempre llena
15 de misterio tu vida... Háblame... dime... ¿ Qué es
esto del Duque de Él ? Oyéndote se calmará mi corazón... Habla, Cellini, habla, mientras yo descanso de
esta inquietud... ¿ Viven tus padres ?

Cellini. Viven.

20 Áurea. Cuéntame tu historia. ¿ Qué es esto del Duque
de Él ?

Cellini. Pues esto es, Áurea, que ser Duque de algo,
puede ser privilegio de algunos; pero ser Duque de sí
mismo, sólo me toca a mí. Yo no sé de otro.

25 Áurea. (*Riendo*.) Pero, bien, bien, explícame...
Esta grandeza, este rumbo, esta fastuosidad con que en
Sevilla te paseas... ¿ Eres ya rico ?

Cellini. ¡ No tengo un doblón ! Eso querría el dinero:
hacerme suyo para esclavizarme y pudrirme el alma.
30 ¡ Jamás ! No tengo un doblón. Y sin embargo, soy el
Duque de Él, y no hay en Sevilla rico ni grande que no
me rinda pleitesía, ni puerta que no se abra a mi nombre,

ni villano que no me salude, ni mendigo que no me bendiga, ni mujer que no se asome a su celosía para verme pasar. ¡Soy el Duque de Él!

ÁUREA. Me harás reír de veras, Cellini.

CELLINI. El origen de mi título sólo vas a saberlo tú. Pensaba yo que era el hombre más desatinado y loco del mundo, y rodando por el mundo adelante, di en París con un caballero escocés, al lado del cual soy un prodigio de equilibrio y cordura.

ÁUREA. ¡Dios del cielo, Cellini! ¡Cómo tendrá la cabeza el escocés!

CELLINI. Algo daría yo por saber, no cómo la tiene, sino dónde la tiene ahora.

ÁUREA. ¡Jesús!

CELLINI. Conocí a lord Wéllington con ocasión de la venta de unas antiguallas de gran valor, en que comercio para vivir de algún tiempo a esta parte. Lord Wéllington tiene todo el dinero que yo desprecio y más, y es caprichoso y maniático como un niño mimado o como un enfermo. De tal manera simpatizó conmigo, que a los tres días de hablarnos me trataba como si fuera hermano suyo. Te pintaré la historia a grandes pinceladas, porque estoy ansioso de que hables tú y no yo.

ÁUREA. Sigue.

CELLINI. Soñaba lord Wéllington con hacer un gran viaje por España, viaje de juventud, de arte, de amor y de locura, y se empeñó en hacerlo en mi compañía. Ocho meses llevamos ya rodando por toda ella, descubriendo tesoros y maravillas, admirando rincones, paisajes y mujeres, comprando joyas, tirando el oro, imaginando y realizando estupendas hazañas, como en un torneo de disparates. Algunas noches hemos dormido en una cate-

dral, por sólo ver entrar la luna por las ojivas de colores,
o por ver si los reyes muertos abandonaban en la soledad
sus sepulcros de piedra y nos revelaban algún secreto de
ultratumba. Algunas las hemos pasado en las calles de-
5 siertas, husmeando aventuras extraordinarias, que unas
veces nos salían al paso y otras no. Algunas, también,
dimos con nuestros huesos en la cárcel.

ÁUREA. ¿En la cárcel?

CELLINI. Es claro. Fortuna, que con la misma facili-
10 dad entrábamos que salíamos. El oro de lord Wéllington,
manejado con largueza por mí, nos descorría, sin rechinar,
todos los cerrojos. Al llegar a Córdoba, se enamoró mi
hombre tan vivamente de una mujer, hallada al paso en
una venta, que yo pensé que había llegado en serio a perder
15 el poco seso que le quedaba. Me pidió entonces que con-
tinuara yo solo el viaje a Sevilla y que buscase hospedaje
para él y para mí, y me aseguró que él vendría siguiéndome
los pasos. Y hasta ahora...

ÁUREA. ¿Hasta ahora?

20 CELLINI. No he vuelto a saber de lord Wéllington.

ÁUREA. ¿Cuánto tiempo hace?

CELLINI. Mes y medio; lo que llevo en Sevilla.

ÁUREA. Pero, ¿estará en Córdoba?

CELLINI. Es posible.

25 ÁUREA. ¿Y qué piensas hacer?

CELLINI. Esperarlo.

ÁUREA. ¿Esperarlo? ¿Hasta cuándo?

CELLINI. Hasta que venga.

ÁUREA. ¿Y si no viene nunca?

30 CELLINI. Sí vendrá. Así entré en Sevilla, y me pareció
desde que entré mucho mi equipaje, mucha persona yo,
muy grande y muy bella la ciudad para seguir no siendo

más que el que fuí hasta aquel día. Me hospedé donde
mejor pude y me llamé desde aquel punto y hora el Duque
de Él. Busqué un criado de buena cepa sevillana, le llené
la cabeza de fantasías, que por cierto no se encontraron
solas, y no hizo falta más: él se encargó de propalar, no 5
una leyenda, sino mil leyendas de su dueño y señor, que
me dieron renombre en ocho días.

ÁUREA. Es verdad. A mí llegaron algunas de ellas:
« El Duque de Él va a levantar un palacio en Itálica. »
« El Duque de Él quiere llevarse la Virgen de la Servilleta, 10
cueste lo que cueste. » « El Duque de Él ha comprado
varias paredes del Alcázar. » « El Duque de Él quiere
fundar un hospital y un asilo como el de don Miguel de
Mañara. » « El Duque de Él viene huyendo de la justicia,
porque ha matado a un noble en desafío. » « El Duque de 15
Él viene a robar a una sevillana famosa. » « ¡ El Duque
de Él ! ... ¡ El Duque de Él ! ... »

CELLINI. ¡ Oh ! Ya que me hice Duque, había de serlo
grande y dignamente. Y todo es pura imaginación. Hecho real, base para la credulidad de las gentes, no hay 20
más que uno solo: el de la adquisición a peso de oro de
una Concepción de Murillo. La vi y di en el acto cuanto
me pidieron por ella, sin regateo alguno. Esto me con-
quistó la amistad de excelentes artistas. Frecuenté sus
estudios, conocí en ellos a muchos grandes, mis iguales, 25
visité sus casas y palacios, distinguiéronme todos con su
simpatía, y aquí estoy. Y aquí me tienes, Áurea, poniendo
a tus pies mi corona ducal, mis tesoros, mis grandezas
todas, mi renombre, y sobre todas esas cosas y por lo
mismo, mi corazón y mi fantasía. 30

ÁUREA. ¡ Cellini ! ¡ Eres dichoso ! Creas el mundo en
que quieres vivir, y en él vives.

CELLINI. Como no nací en el único que hubiera podido importarme, que es el que yo habría querido ofrecerte en lejanos tiempos, ahora ya, en cuanto me canso de un mundo, salto a otro.

5 ÁUREA. ¡Ay de mí!

CELLINI. Otra vez tu lamento. Habla ya, Áurea; dime tus pesares; dime por qué lloras; por qué me llamaste esta noche; por qué viniste aquí. ¿Qué quieres, no del Duque de Él, sino del bienaventurado Cellini? Del
10 que a ti se llegó una tarde como ciego, porque iba enamorado, y del que ciego te habló de amor por vez primera, y luego lloró muchas noches de haberte visto.

ÁUREA. Cellini, amigo mío, si es verdad que yo fuí la ilusión de tu alma de niño, y la quimera de tus veinte años
15 arrogantes y soñadores, prométeme por esos recuerdos que has de concederme lo que te pida.

CELLINI. ¿Nada más?

ÁUREA. ¿Me lo prometes?

CELLINI. ¿Me lo preguntas?

20 ÁUREA. Yo he venido esta noche aquí, a esta quinta apartada, donde tantas horas paso con mis hijos, traicionando a mi esposo, comprometiendo mi nombre, en complicidad bochornosa con algunas de mis criadas, temblando de ansiedad y vergüenza; y cuando así he venido,
25 Cellini, tú comprenderás que vengo por algo que para mí es tanto como la vida.

CELLINI. De tu esposo hablaste . . .

ÁUREA. Sí, de mi esposo. (*Mira el retrato, llamando la atención de Cellini, que también lo mira.*)

30 CELLINI. ¡Oh! No había reparado . . . Señor mío, ¿estaba usted aquí? (*Con graciosa ironía.*) Perdóneme si al llegar no lo saludé como se merece.

ÁUREA. Cellini...

CELLINI. Aquí estamos los dos, y aquí está ella. Mírala. Nunca supieron sus ojos lo que eran lágrimas, hasta que tú te miraste en ellos.

ÁUREA. ¡Cellini!... 5

CELLINI. Áurea... compréndeme a mí tú también. Y mira que entre cuantas cosas me puedas pedir, sólo hay una que he de negarte.

ÁUREA. Pues ésa, ésa es la que a pedirte vengo.

CELLINI. ¡No, Áurea, no! 10

ÁUREA. Ésa es. Considera que no podía ser otra. (*De improviso, con súbita alarma, prestando oído hacia el jardín.*) ¿Eh?

CELLINI. ¿Qué?

ÁUREA. Calla. 15

CELLINI. ¿Qué es?

ÁUREA. ¿No oyes?

CELLINI. No... Nada oigo. (*Los dos escuchan sin hablar.*)

ÁUREA. Sí; sí suena... 20

CELLINI. Sí; ya sí. Un coche parece. (*Suenan ahora en efecto, muy a lo lejos, los bulliciosos cascabeles de un cochecillo que se va acercando.*)

ÁUREA. ¡Dios mío!

CELLINI. ¿Qué temes? 25

ÁUREA. No sé, pero todo es posible. ¿Por qué me aventuré, Señor?

CELLINI. Calma.

ÁUREA. ¡Se acerca! ¡Oh! ¡Se acerca! ¡Viene aquí! ¡Van a sorprenderme! ¡Viene aquí! 30

CELLINI. ¿Pero de quién sospechas? ¿Quién pudiera haberte vendido?

ÁUREA. ¡ Qué sé yo ! La suerte, el azar, mi misma locura . . . ¡ Vete tú, Cellini !

CELLINI. Espera; esperemos.

ÁUREA. ¡ Vete tú !

5   CELLINI. No; yo no te dejo sola. ¿ Quién sabe lo que
puede ser ?

ÁUREA. ¡ Virgen mía !

(*El cochecillo, que un momento ha parecido estar delante de
la quinta, sigue adelante su camino, bien ajeno a la tribula-*
10 *ción que produce, y el rumor de sus cascabeles llega a perderse
del todo en la distancia.*)

CELLINI. ¿ Qué ?

ÁUREA. (*Dando un grito de espanto.*) ¡ Ah !

CELLINI. ¿ Qué es eso ?

15   ÁUREA. La puerta . . . sentí alguien en la puerta . . .

CELLINI. Por Dios, Áurea, estás fuera de ti. ¿ No oyes
que se aleja el rumor ?

ÁUREA. ¿ Se aleja ?

CELLINI. ¿ No lo oyes ?

20   ÁUREA. Se aleja, sí . . . se aleja . . . se aleja . . .

CELLINI. Y aquí no hay nadie. ¿ Ves ? (*Abre la puerta
enteramente.*)

ÁUREA. Nadie . . . no hay nadie . . .

CELLINI. Los del coche serán gente de fiesta, que irá
25 a algún ventorro cercano.

ÁUREA. Sí . . . sí . . .

CELLINI. ¿ Qué tienes ? Tranquilízate.

(*En el pecho de Áurea, combatido por tan diversas emo-
ciones, nace trabajosamente un sollozo que al fin rompe en*
30 *sus labios y al que siguen copiosas lágrimas.*)

ÁUREA. ¡ Madre mía !

CELLINI. Áurea . . . no llores . . . Tranquilízate. Si no

ha habido peligro alguno. Tranquilízate, Áurea. Te asustó lo singular de este momento, de esta cita...

ÁUREA. Me asustó, sí; me asustó... llegué al desvarío. Pero desvarío también es haber hecho lo que he hecho. Acabemos, Cellini.

CELLINI. ¿Qué quieres?

ÁUREA. Jura decirme la verdad.

CELLINI. Te lo juro.

ÁUREA. ¿Por quién?

CELLINI. Por ti.

ÁUREA. (*Anhelante.*) ¿Es cierto que anoche, en una fiesta, en una zambra canallesca...?

CELLINI. Es cierto. Ya ves que te adivino.

ÁUREA. ¿Es cierto que sonó allí mi nombre?

CELLINI. ¡Es cierto!

ÁUREA. ¿Es cierto que abofeteaste...? (*Señala al retrato.*)

CELLINI. ¡Es cierto!

ÁUREA. ¿Es cierto que surgió un desafío? ¿Es cierto que al amanecer de mañana...?

CELLINI. ¡Es cierto; es cierto! ¡Tan cierto como que lo pienso matar!

ÁUREA. ¡No!

CELLINI. ¡Sí!

ÁUREA. ¡No, Cellini, no! Porque dicen que tu espada es temible, he venido a ponerme entre él y tú.

CELLINI. Porque estás tú llorando entre él y yo es por lo que quiero matarlo.

ÁUREA. ¡Si por eso lloro! ¡Sé noble ahora como siempre, Cellini!

CELLINI. Jamás nació el odio en mi alma más que para ese hombre. ¡Ah! ¡si él te mereciera!...

ÁUREA. Merézcame o no, de su amor nacieron mis hijos. Merézcame o no, yo lo quiero.

CELLINI. ¿ Lo quieres tú, Áurea ?

ÁUREA. Lo quiero, sí. No busques la razón de este
5 amor, porque no la hallarás. ¡ Lo quiero ! Y nunca llegó a su alma mi ternura ... y lo quiero; y nunca lo conmovieron mis lágrimas ... y lo quiero; y siento en mi corazón su desvío, que es hielo que me quema las entrañas mismas ... y lo quiero; y lo acaricio y huye, y lo sigo y
10 se esconde, y lo llamo y no me contesta ... y lo quiero; y ya no tengo más besos de él que los que él deja y yo voy a buscar ansiosa entre los cabellos de mis hijos ... ¡ y lo quiero ! ¡ lo quiero !

CELLINI. ¡ Pues mal haya ese amor insensato, que no
15 debe ser ! ¡ Cada queja tuya me parece como que templa y afila más mi espada !

ÁUREA. ¡ No !

CELLINI. ¡ Sí ! ¡ Sí, Áurea, sí ! ¿ No ves que te oigo a ti y aún me martillean el cerebro las palabras de él que me
20 lanzaron a abofetearlo ?

ÁUREA. ¿ Cuáles fueron ? ¿ Qué dijo ?

CELLINI. ¡ Qué dijo ! ¡ qué dijo ! ¿ Crees que yo he de repetirlo ante ti ? ¡ Oh ! No me pedirías que no lo matara si pudieras saber lo que escupió aquel hombre,
25 borracho ya ...

ÁUREA. (Dando un grito de vergüenza, de celos y de ira.) ¡ Ah !

CELLINI. ¿ Qué ?

ÁUREA. ¡ Mátalo !

30 CELLINI. ¡ Sí !

ÁUREA. (Rehaciéndose.) ¡ No, no, Cellini, no ! ¡ No me atiendas ! ¡ no me oigas ! ¿ Qué dije ? ¡ Mis celos son

locos, salvajes! ¡Cuando me azuzan como lobos, capaz
sería de matarlo yo misma por mi mano! Pero no me
hagas caso, no; no me oigas, sino cuando te pido generosidad para él.

CELLINI. (*Con dolorosa nostalgia; con rabia de sí* 5
*mismo.*) ¡Ah, palacio de los Duques de la Fontana!
¿Por qué respeté tus muros carcomidos y rotos y no te
incendié para sacar de entre las llamas lo que era mío?
¿Por qué fuí tímido y cobarde? ¿Por qué no busqué oro
en el mismo centro de la tierra para ser poderoso? ¿Por 10
qué no destrocé tu escudo, ridículo fantasma de piedra?
¿Por qué pensé que no era para mí un alma que ató Dios
a la mía con lazo más fuerte que todas las mentiras y
todas las verdades de los hombres?

ÁUREA. Cellini, basta ya. No deliremos ni tú ni yo. 15
Mañana nos va a parecer esto una pesadilla tormentosa.
Ya que el azar nos ha puesto otra vez en la vida frente
a frente, que quede entre nosotros al despedirnos el mismo
aire puro de aquel cercado de Solar de la Montaña en que
me encontraste. No es la esposa torpe y locamente 20
enamorada la que te ruega; es la cándida y sencilla
muchacha que tomó la mano del ciego para sentarlo en las
piedras que bordean el arroyo... aquel arroyo donde se
recreaba en su propia belleza, hoy vencida por el dolor.

CELLINI. Áurea...
25

ÁUREA. Tampoco es aquella muchacha quien te pide
que perdones y te alejes de aquí: es la niña rica del
vestido de pescadora, con quien en su carroza fuiste a la
ermita un día y a quien le diste unas flores y un beso.

CELLINI. Silencio, Áurea; silencio ya. Sólo porque 30
pensé librarte de tu tormento, ha sido posible que tú llega-
ras a suplicarme. ¿Qué me pides?

ÁUREA. Que renuncies a ese horrible duelo y que te alejes de Sevilla para evitarlo. ¿ Lo harás ?

CELLINI. ¡ Me lo pide la muchachita que se miraba en el arroyo !

5 ÁUREA. ¿ Te irás antes de que amanezca ?

CELLINI. ¡ Me lo pide la pescadorcita que tomó mis flores !

ÁUREA. (*Con gratitud.*) ¡ Cellini !

CELLINI. ¿ Lloras ?

10 ÁUREA. Lágrimas son éstas también, pero no las de antes. Sólo en ser lágrimas se parecen.

CELLINI. ¡ Amor mío ! (*Le besa con ternura una mano, que ella le abandona. Luego, con graciosa ingenuidad, dice encarándose con el retrato:*) Perdone, amigo. Es lo 15 menos a que tengo derecho. Sobre que entre una estocada en el corazón y un beso en la mano de Áurea, le concedo a usted lo más agradable. (*Áurea sonríe.*) ¿ Te ríes de mi puerilidad ?

ÁUREA. Me río, entre lágrimas, de tu locura, y bendigo 20 tu bondad, tu grandeza. ¡ El Duque de Él ! . . .

CELLINI. ¡ El Duque de Él ! . . . Muere sin que lo hiera espada alguna, pero muere digno de su nombre: lo mata una mujer hermosa. Saldré de Sevilla antes que alumbre el sol; te lo juro. Nadie pensará que fué miedo ni cobar- 25 día; bien se sabe quién soy. Noches ha, en la casa que llaman de los Duendes, terror y sobresalto de Sevilla entera, entré yo solo y acabé con todos ellos a cintarazos. « Por miedo no desapareció », dirán cuantos me conocieron. Y por Dios que ha de envolver mi fuga misterio tan im- 30 penetrable, oscuridad tan densa, que más que como hombre de carne y hueso recordarán los sevillanos al Duque de Él como al espíritu temeroso de una leyenda.

Áurea. Espíritu de leyenda eres en mi vida. Leyenda de amor y de grandeza, Cellini. Adiós.

Cellini. ¿ Ya te vas, Áurea ?

Áurea. Y aun prolongué demasiado esta entrevista. Adiós. Esta luz, este aroma que sólo tú infundes en mi alma, me consuela de todo. Adiós.

Cellini. ¿ No he de acompañarte ?

Áurea. No. Un poco después que yo salga saldrás como viniste. A nadie has de ver.

Cellini. ¿ Y tú y yo, volveremos a vernos algún día ?

Áurea. Para siempre nos despedimos en el cercado, y no fué para siempre. Mi deseo es el de volverte a ver.

Cellini. Será sin buscarnos, como ahora. Seguro estoy de que, si en tu vida hay algún momento en que sin llamarme me llamas, mis pasos me guiarán hacia ti.

Áurea. Adiós ... hasta entonces.

Cellini. Hasta entonces ... adiós.

Áurea. Adiós, Cellini.

Cellini. Adiós. (*Se estrechan nuevamente las manos y ella se va. Pausa larga. Cellini la mira alejarse. Después, volviendo a encararse con el retrato, grita con exaltación y arrogancia.*) ¿ A qué miras, si tú no entiendes esto ? ¡ Entre ella y tú vivo ya eternamente yo ! ¡ Y ten además muy en cuenta que yo no soy el Duque de Él, sino Berto Cellini ; que no sería la tuya la primera mujer a quien engañase ; que cambio de opinión como cambia de rumbo el viento ... que el brazo me está pidiendo una espada ... y que aún faltan muchas horas para que amanezca ! ¡ Buenas noches ! (*Se cala el sombrero, se encaja sobre los hombros la capa, y se marcha resueltamente, mientras cae el telón.*)

FIN DEL ACTO SEGUNDO

# ACTO TERCERO

Antesala en el suntuoso caserón que tienen en Madrid los Condes de la Selva. A la derecha del actor la puerta de entrada. A la izquierda una gran chimenea. Al foro cierro de cristales, tras el cual se ve el pintoresco jardín de la casa. En el rincón de la izquierda el arranque de una escalera que da acceso a las habitaciones interiores. Es una noche clara del mes de Enero. Una gran lámpara alumbra la estancia. Han pasado treinta años desde el acto segundo.

Dentro, hacia la izquierda, suena el quejumbroso violín de un músico callejero, que se aproxima lentamente. Al llegar cerca del caserón cesa de tocar de improviso. A poco pasa de izquierda a derecha por el parque el viejo artista, bajo el brazo el violín, en dirección a la entrada de la antesala, por la cual aparece momentos después. Es BERTO CELLINI. Tiene barba y cabellos blancos y bien cuidados, y viste humildemente. Nadie diría que tan pobres ropas cubren el cuerpo del que hace treinta años se llamaba el Duque de Él.

CELLINI. Que pase... y que espere. Bien está. La noche es hermosa, pero fresca: noche pura del madrileño Enero. Agradece mi cuerpo este calor de la chimenea. (*Se acerca a ella, dejando antes violín y sombrero, y se frota* 5 *las manos.*) ¡ Aaaah ! ¿ Qué me querrán estos señores ? ¿ Y quiénes serán ellos ?... Según viven, nobles y ricos deben de ser... Esperemos. (*Pausa. Después de templarse un poco vuelve a coger sombrero y violín.*) ¡ Mi violín ! ¡ Ciertamente, el humor no te falta, Cellini !
10 (*Por la escalera baja una señora venerable. ¡ Ay ! Es Áurea. Treinta años más pasaron por su hermosura. La*

34

*expresión dulce y risueña de su rostro, se acentúa al ver al
músico.*)

ÁUREA.  Buenas noches.

CELLINI.  Señora, buenas noches.

ÁUREA.  Usted será tan bueno que disculpe este atre- 5
vimiento mío.

CELLINI.  ¿ Cuál, señora ?

ÁUREA.  El de hacerlo pasar aquí, deteniéndolo a usted
en su marcha.

CELLINI.  Bien haya la ocurrencia de usted.  La agra- 10
dezco, lejos de tener que disculparla.  Entre el frío sutil
de la calle y el templado ambiente de esta estancia, mi
viejo cuerpo no puede vacilar.

ÁUREA.  No creí que tenía usted tantos años.  ¡ Vaya
por Dios !  ¡ Verse en la necesidad de andar por esas 15
calles con este frío !

CELLINI.  No me compadezca, señora.  El frío es confortante a ratos.  Sin contar con que, en la casa de huéspedes en que vivo, hace mucho más frío que en la plaza de
Oriente, aunque el patrón, que es ruso, ande siempre en 20
mangas de camisa.

ÁUREA.  ¡ Qué buen humor !

CELLINI.  Buen humor y poco derecho a quejarme de
la profesión que he escogido.

ÁUREA.  Deje usted el violín y el sombrero, y siéntese. 25

CELLINI.  Con mil amores, señora mía.

ÁUREA.  Tengo que pedirle un favor.

CELLINI.  Délo usted por hecho.

ÁUREA.  ¿ Sin saber lo que sea ?

CELLINI.  Y deseando que sea un imposible. 30

ÁUREA.  Diga usted lo que quiera, tiene buen humor.

CELLINI.  Es tesoro que no me quitan los años.

ÁUREA.  ¿ Es usted extranjero ?

CELLINI.  Como usted guste.

ÁUREA.  ¿ Eh ?

CELLINI.  Digo esto no por cortesía ni extravagancia,
5 sino porque igualmente puedo llamarme español y extranjero.

ÁUREA.  No me lo explico.

CELLINI.  Soy ciudadano español, señora;  pero nací en
Italia.

10   ÁUREA.  Ya.

(Cellini, que se dispone a mentir, como siempre, da al
relato que sigue una ligera entonación de burla.)

CELLINI.  El sol de Nápoles abrió mis ojos a la luz.
Mi madre fué una gran trágica, famosa en sus tiempos:
15 Emma Trolli.  Mi padre, cuyos apellidos y cuyos títulos
son gloriosos, fué el Príncipe Filippo Malatesta.  Se ama-
ron él y mi madre con locura infinita.  De aquel amor
ardiente nací yo, que por las trazas tenía gran prisa de
venir al mundo.  Y ya iban a celebrarse las bodas con
20 pompa y boato, y ya la princesa de la escena iba a ser
también la Princesa Malatesta, cuando una mañana, en
Venecia, amaneció asesinado el Príncipe mi padre bajo el
célebre Ponte dei Sospiri.

ÁUREA.  ¡ Oh !

25   CELLINI.  La cabeza, bárbaramente mutilada, en una
góndola; el cuerpo en las aguas, desangrándose y enro-
jeciéndolas en derredor.

ÁUREA.  ¡ Qué espanto !

CELLINI.  Fué sin duda terrible venganza de la familia
30 del Príncipe Filippo, que odiaba a la comedianta famosa.
Perdió mi madre la razón y yo a poco me vi en la más
dolorosa miseria.  El sentimiento de la música me cantó

en el alma.   Un señor, que me tomó de criado un par de
meses, me regaló un violín la noche de Reyes de aquel año.
Desde entonces vivo de mi violín, que es mi constante
compañero, y el eco de mi espíritu.   Cuando lloro, llora;
cuando río, ríe . . .   El apellido que llevo es el de mi madre:   5
Trolli.   Ermete Trolli soy, pues, para servir a usted, señora.

ÁUREA.   ¡ Oh, señor Trolli !   Tiene su historia una traza
muy novelesca.   Y vamos a la gracia que deseo de usted,
para no retenerlo aquí demasiado.

CELLINI.   Mándeme libremente, señora mía.   Debo   10
gratitud especial a esta noble casa, ya que todas las noches,
al pasar yo, se me da una espléndida limosna.

ÁUREA.   Pues bien: oiga usted, que por la limosna es la
gracia que quiero.   Esa limosna se la manda a usted un
niño.   15

CELLINI.   ¿ Un niño ?

ÁUREA.   Sí; uno de mis nietos.   Tengo cuatro.

CELLINI.   ¿ Cuatro nietos tiene usted, señora ?

ÁUREA.   Cuatro.

CELLINI.   Yo tengo siete.   Y si hubiera sospechado que   20
la limosna de esta casa venía de las manos de un niño,
puede usted creer que guardaría, sin gastarlas nunca,
todas las monedas que de él recibí.

ÁUREA.   ¿ Pues ?

CELLINI.   Porque nada hay más puro, ni que mayor   25
emoción me cause, que la dádiva generosa de un niño.

ÁUREA.   Es usted muy discreto, señor Trolli.

CELLINI.   ¡ Bah !

ÁUREA.   Pues este nietecillo mío, que a mí me va a
sacar el sol de la cabeza, es travieso como un diablo, in-   30
quieto, vivo, de una imaginación, señor Trolli, que nos
tiene alarmados.

CELLINI. ¿ Mucha imaginación, eh ?

ÁUREA. ¡ Un desatino !

CELLINI. No les importe a ustedes. Ese caudal de la fantasía es patrimonio de los privilegiados de Dios.

5 ÁUREA. Así sea, y el Señor lo oiga a usted. Sigo con mi cuento. Ha de saber usted que el diantre del chiquillo ha dado en la flor de no dormirse ninguna noche hasta que usted pasa por aquí, desde que lo sintió pasar la primera.

CELLINI. ¿ Sí ?

10 ÁUREA. Como se lo digo. Y se desazona y excita a tal extremo cuando tarda usted, que empieza a charlar disparates y a contar historias sin sentido, asustándonos a su madre y a mí. Estas noches últimas, en que usted ha pasado más tarde, no bastaban ya halagos ni amenazas 15 para obligarlo a callar y a dormir. Y si rendido al cabo cogía unos instantes el sueño, soñaba con usted, y despertaba luego preguntándonos si le habíamos dado su limosna.

CELLINI. Es particular. ¿ Y cuando yo paso y me oye, descansa ?

20 ÁUREA. Se queda en siete sueños el ángel mío.

CELLINI. ¿ Entonces, lo que usted desea ? . . .

ÁUREA. Es que, si puede usted, pase con regularidad todas las noches, y un poco más temprano.

CELLINI. Pasaré, pasaré.

25 ÁUREA. ¿ No le perturba nada ?

CELLINI. No es eso sólo ; sino que ya no tengo yo más que hacer en el mundo que pasar por aquí una noche y otra, a la hora que usted me ordene, arañando las cuerdas de mi violín, para que con su música sencilla, como canción 30 de madre, se duerma ese niño.

ÁUREA. ¡ Señor Trolli ! Es usted la misma bondad.

CELLINI. Señora mía, no soy sino un enamorado de

mi arte; de la idealidad en la vida; de la poesía de las
cosas. Por algún sitio pasaré toca que toca, y no faltará
malhumorado que al oírme exclame: « ¡ Ahí va ese ras-
cátripas ! » No es mucho que me obligue de buen grado
a pasar por donde sé que hay un niño que me espera  5
para mandarme una limosna, y que si tardo pregunta con
exaltación: « ¿ Pero no viene el viejo ? » Señora, donde
en el mundo hay una flor a mi alcance, yo la cojo siempre.

ÁUREA. Así como usted ha dicho, pregunta él: « ¿ Pero
no viene el viejo ? » (*Prestando oído hacia la escalera.*)  10
¿ Eh ?

CELLINI. ¿ Qué, señora ?

ÁUREA. La madre, que me llama. Seguramente ha
despertado. Con permiso de usted.

CELLINI. Sí, señora.                                     15

ÁUREA. Vuelvo, vuelvo en seguida. (*Sube.*)

CELLINI. Aquí espero yo. — *Oh! simpatica e gentile è
la vecchietta! Ed io sono un fantastico chiacchierone che
muta di padre come di camicia. Cellini figlio del Principe
Filippo Malatesta! C'è proprio da meravigliarsi!*          20

(*Silencio. En la escalera asoma Áurea, y le habla, sin
bajar del todo y a media voz.*)

ÁUREA. Señor Trolli.

CELLINI. Señora mía.

ÁUREA. En efecto, ha despertado el niño. ¡ Está in-  25
quietísimo ! Ha vuelto a preguntar por usted. ¿ Será usted tan amable ? . . .

CELLINI. ¿ Qué ?

ÁUREA. Que toque el violín unos momentos, para
hacerle creer que pasa usted ahora.                        30

CELLINI. Sí. Al instante.

ÁUREA. ¿ Adónde va ?

CELLINI. A la calle, ¿ no ?

ÁUREA. No hace falta, señor; no hace falta. Toque desde ahí. Será igual la ilusión del niño.

CELLINI. Como usted mande.

5   ÁUREA. Voy a decírselo a mi hija. (*Sube.*)

CELLINI. (*Disponiéndose a tocar su instrumento.*) Chiquitín generoso y caritativo, hermanito de fantasía, oye una cancioncilla que de niño me cantaron mil veces, y duérmete con ella soñando.

10   (*Toca con emoción suprema, y el viejo violín responde como nunca a su sentimiento y a su mano. La canción que toca es la del limosnero con que Áurea, una tarde de Mayo, alegró el cercado de Solar de la Montaña, donde él le habló. A punto de acabar está cuando Áurea vuelve a asomar en la* 15 *escalera, y baja lentamente mirando con curiosidad y asombro a Cellini.*)

ÁUREA. Gracias, señor. ¡ Qué canción más linda ha tocado ! ¡ Y qué diestramente lo ha hecho ! Nunca me sonó mejor su violín.

20   CELLINI. Nunca tampoco, señora mía, tuvo mejor empleo. Violín, si tienes alma, habrás temblado como yo. ¿ Duerme ya el niño ?

ÁUREA. Pronto dormirá. Y la madre llora en silencio, llena de gratitud. Y la abuela ... la abuela ... (*Sigue* 25 *mirándole tenazmente.*)

CELLINI. ¡ Oh, músicos famosos del mundo, que soñáis con el aplauso loco de las multitudes, exaltadas por vuestro arte ! ¡ Aquí tenéis al viejo Trolli, músico callejero, que no cambia por vuestros ruidosos triunfos este aplauso 30 callado del niño que duerme y la madre que llora !

ÁUREA. ¡ Trolli ! ... ¡ Señor Trolli ! ...

CELLINI. ¿ Cómo se llama el niño ?

Áurea. Berto.

Cellini. ¿Berto?

Áurea. Berto, sí. Como uno de mis hijos también.

Cellini. (*Observándola atónito.*) ¿Uno de sus hijos también ... ?

Áurea. Se llama Berto. Como tú, grandísimo farsante.

Cellini. ¿Eh?

Áurea. Años implacables, ¿qué hicisteis con Áurea, que ya no la conoce Cellini?

Cellini. (*Temblando.*) ¡Dios de Dios! ¡Áurea! ¡Áurea! ¿Pero es posible esto?

Áurea. Ya ves si es posible, Cellini. (*Se dan las manos en silencio, mirándose a los ojos con emoción.*) Sí; yo soy, yo soy.

Cellini. ¿Y cómo no te reconocí apenas mis ojos te vieron?

Áurea. Porque tus ojos ya no ven y porque yo tampoco soy la que ellos vieron antes.

Cellini. ¡Oh, de qué modo me alegra este encuentro! Había perdido ya la esperanza de volver a verte. Pensé que no vivías.

Áurea. ¿No vives tú y eres más viejo? (*Se miran otra vez enternecidos y se ríen.*)

Cellini. Áurea ...

Áurea. Cellini ...

Cellini. ¿Con quién vives, Áurea?

Áurea. Siéntate.

Cellini. Dime con quién vives.

Áurea. Con mi hija Cecilia.

Cellini. ¿Y tienes cuatro nietos?

Áurea. Cuatro. Y tú, siete, ¿no?

CELLINI. Te diré...

ÁUREA. Ah, vamos, descienden todos del Príncipe Filippo.

CELLINI. En línea recta. (*Se ríen los dos.*)

5 ÁUREA. ¡ Qué embustero has sido siempre, Cellini !

CELLINI. Dime, Áurea, ¿ vive el Conde de Miraluz ?

ÁUREA. ¿ Mi marido ? No. Murió, va para quince años.

CELLINI. ¡ Oh ! Yo debí matarlo hace treinta...

10 conque no escapó mal del todo.

ÁUREA. Deja eso, Cellini.

CELLINI. ¡ Quince años ! En el purgatorio ya estarán hartos de él.

ÁUREA. Respetemos a los que ya no son. Yo, por mi

15 parte, le he consagrado tantas oraciones, que bien creo haber salvado su alma.

CELLINI. ¿ De veras ? Manantial de ternura es tu corazón. ¡ Y qué gran placer si tu marido está en el cielo !

ÁUREA. ¿ Por qué ?

20 CELLINI. ¡ Porque ya no volveré a encontrármelo nunca !

ÁUREA. Ciertamente, que tú irás con zapatos a los infiernos, por mala lengua y por taravilla. (*Vuelven a reír.*) ¡ Diablo de Cellini ! ¿ Cómo has venido a parar en músico ambulante ?

25 CELLINI. No; si no he parado aquí. Aún me quedan que ser muchas cosas en esta vida.

ÁUREA. Pues date alguna prisa, Berto.

CELLINI. Me es igual serlas o no serlas. Un pobre músico que vivía en la misma casa de huéspedes que yo y

30 que me debía mil atenciones, me dejó al morir todo su ajuar, que era este violín y un frac de sus tiempos floridos. Yo aprendí a tocar el violín de niño, con mi padre. Ahora,

de viejo, me ha parecido éste que la suerte ha puesto en
mis manos un amigo de la niñez que viene a recordarme
aquellos días. Descansando él sobre mi hombro y yo in-
clinando sobre él mi cabeza cansada, erramos juntos por
las calles en amor y compaña, recogiendo lo que nos dan.  5

ÁUREA. ¿ Recoges mucho ?

CELLINI. Mucho. La música, aunque sea tocada
por ... nosotros, enternece los corazones. Luego voy a
casa, me cambio de ropa y en un barrio más humilde que
éste, reparto las monedas recogidas aquí. Aquí soy el 10
pobre viejo que toca el violín por las calles; allí soy un
buen señor que da muchas limosnas. Lo que me dan por
caridad, por caridad lo doy.

ÁUREA. De ese modo es nuestra vida, Cellini. Lo que
nos dan, damos. Como tú las monedas que aquí recoges 15
las repartes allá, así hacemos todos: lo que al nacer nos
dan es lo que damos en la vida. Quien nació con ternura
en el corazón, su ternura; quien nació con veneno, su
veneno. Digo esto por piedad de los malos. ¿ Entiendes ?

CELLINI. Entiendo, sí. Es otra oración para tu marido. 20

ÁUREA. ¡ A qué luz tan distinta se ven las cosas en
estos años, cuando ya la nieve cayó sobre nuestras cabezas !

CELLINI. ¿ Recuerdas nuestra fogosa escena a la orilla
del río Guadalquivir ?

ÁUREA. ¿ No la he de recordar, Cellini ? ¿ Es posible 25
que ni tú ni yo olvidemos nada de lo pasado entre nosotros ? ¡ Con ser tan poco, ha sido tanto ! ... Y, sin embargo, ¿ qué nos queda ya de aquella pasión tuya, de
aquel ciego amor mío a quien nunca lo mereció ? ... La
memoria ... el rescoldo suave ... estas débiles chispas 30
de luz que ahora asoman a nuestros ojos y que pronto
apagará el aire del invierno.

CELLINI.  ¿ Fuiste alguna vez a Solar de la Montaña, a aquel cercado del arroyo ?

ÁUREA.  ¡ Oh, Cellini !  Yo te contaré.  Desde la tarde aquella . . . desde aquella tarde . . . yo no volví al cercado hasta hace dos años.

CELLINI.  ¿ Tanto tiempo sin ir por allí ?

ÁUREA.  Toda una vida.  Parece imposible, ¿ verdad ?

CELLINI.  ¿ Y qué ?  ¡ Dime !

ÁUREA.  Con mis nietos fuí.  El lugar es el mismo: me pareció todo conservado por Dios así para hacer más grato mi recuerdo.  Me senté en una de las piedras donde los dos estuvimos hablando y cerré los ojos . . . Y te vi llegar, y escuché tu voz en el aire . . . Y las aguas, al correr por entre las piedras, frescas y limpias, llevaban rumor de juventud y alegría, como entonces.  Y las hojas de los árboles también cantaban una canción de primavera.  ¡ Oh !  Todo igual que aquella tarde, Cellini . . .  Engreída con esta ilusión, que me acariciaba la frente como el aire, me asomé candorosamente a las aguas del arroyito . . . y ¡ ay, Cellini ! . . .  ¡ qué rumor tan distinto entonces el de sus ondas ! . . .  ¡ qué distinta canción la de las hojas de los árboles ! . . .  Pasaron mis nietos jugando y se rieron de que la abuelita se estuviese mirando en las aguas . . . Yo me reí también . . .  Después lloré un poco . . .  Después . . . volví a reírme como ahora . . . (Ríe entre lágrimas.)

CELLINI.  ¡ Ay !  ¡ El encanto de lo que fué ! . . .  ¡ Las hojas secas en el suelo mirando a las ramas donde fueron verdes y tuvieron nidos de pájaros ! . . .  ¡ Eso hacemos tú y yo !

ÁUREA.  ¡ Cellini, Cellini ! . . .  Si la vida es un sueño, la nuestra es más sueño que ninguna otra.

CELLINI. Bien dices.

ÁUREA. ¿ Volverás mañana con tu violín ?

CELLINI. Mañana y siempre. Volveré mientras el
niño quiera. ¿ Se llama Berto, de verdad ?

ÁUREA. Berto se llama, como mi hijo y como tú. Es 5
el único pecadillo de infidelidad que cometí en mi vida.

CELLINI. Pues no has de condenarte por él. Hasta
mañana, Áurea.

ÁUREA. Hasta mañana. Para siempre nos despedimos
la vez primera; en Sevilla, para cuando el azar quisiera 10
juntarnos; ahora ... hasta mañana.

CELLINI. Hasta mañana. Pero desde nuestro primer
encuentro, en mi vida tú y yo en la tuya fuimos la poesía.

ÁUREA. ¡ La poesía !

CELLINI. ¡La poesía, sí, la flor de la vida! Flor que 15
nace por donde quiera y está en todo. A veces es flor de
realidad que, al tenerla junto a nosotros, perfuma el rincón
en que vivimos; a veces, flor de luz que tiembla en el
espacio y que, al acercar nuestras manos a ella, huye o se
desvanece. 20

ÁUREA. Así fué la flor de nuestros amores.

CELLINI. Así fué. En todas las vidas, Áurea, o en muchas, si no en todas, hay dos historias diferentes. La que
van dejando en la tierra las huellas de nuestros pies, que
arrastran el cuerpo miserable, y la que va tejiendo el alma 25
libre por encima de nuestras frentes. ¡ Felices los que
logran juntar, siquiera en un momento, las dos historias
de su vida ! Parece entonces que se han posado en el
corazón las mariposas del camino ... ¿ Hasta mañana ?

ÁUREA. Hasta mañana ... ¡ Adiós el ciego de Solar de 30
la Montaña ... el Duque de Él ... el músico ambulante !
... ¡ Adiós ! ...

CELLINI. ¡Adiós... la poesía de mi vida! Hasta mañana, Áurea. (*Vase.*)

ÁUREA. ¡Poesía! ¡Flor de la vida! Es cierto: eres la dicha y el consuelo hasta en el dolor. ¡Quién pudiera
5 sembrar tu semilla de luz y de oro en el corazón de ese niño que duerme! (*Óyese el violín de Cellini allá dentro, tocando nuevamente la canción del viejo limosnero.*) ¡Oh! ¡Cellini! ¡El violín de Cellini! ¡La canción de aquella tarde otra vez!...

10 (*Pasa Cellini de un lado a otro del parque mirando a Áurea mientras toca el violín, y se aleja tocando. Al llegar a la última estrofa, deja el violín de oírse. Áurea entonces, con voz velada por las lágrimas, la canta, completando así la melodía.*)

15          Para los niños un anhelo,
          para las mozas un amor,
          para los hombres un consuelo,
          para los muertos una flor...


FIN DEL POEMA

# Canción de Áurea

Andantino

El vie-jo li-mos-ne-ro de es-ta ma-ña-na, de es-ta ma-ña-na, en un co-rro de gen-tes a-sí can-ta-ba a-sí can-ta-ba—, En-tre es-pi-nas y en-tre flo-res, en-tre ri-sas y do-lo-res yo siem-pre fuí: lo me-jor que hallé en mi sen-da de mi vi-da co-mo o-fren-da yo os trai-go a-quí. Pa-ra los ni-ños un an-he-lo—, pa-ra las mo-zas un a-mor, pa-ra los hombres un con-sue-lo, pa-ra los muer-tos u-na flor, pa-ra los muer-tos u-na flor.

poco rit.

# Violín en escena

## Violín dentro

# NOTES

**Introduction.** — **género chico;** short plays usually in one act and with music. Although they deal with a variety of subjects, the most characteristic themes have to do with the life of the lower classes in Madrid or with picturesque features of provincial life. The name itself came into use in the nineteenth century to distinguish this type of **zarzuela** or musical comedy from the three-act, more serious and elaborate **zarzuela grande** or **zarzuela del género grande.**

**Page 3.** — **Solar de la Montaña,** a non-existent town invented by the authors, and an idealized version of towns of the region of La Montaña, which name is applied to the mountains of the province of Santander, which lies in the north of Old Castile. **Solar** means *ground-plot* or *manor-house,* and many of the old Castilian families came originally from this province, which for this reason is, in a sense, the manor-house of Castile.

**humilde cuanto heroica ciudad,** *a city as humble as it is heroic.* A somewhat rhetorical set phrase used here for humorous effect.

**segundo,** i.e., **término,** *middle ground.*

**Page 4.** — 11. **como si no fuera con él,** *just as if it did not concern him.*

17. **ya se puede juntar el cielo con la tierra,** *the sky may fall* (without disturbing him). Freely, *nothing else matters.*

21. **padre;** like *father* in English, this title is given to priests.

30. **Pero ya lo puedo . . . sale,** *But I may wait as long as I please; he will not come out.* **Ya** is sometimes used to intensify a phrase, and is hardly susceptible of translation except by the tone of the voice; cf. the **ya** in line 17. — **sale,** present for future, is common, for emphasis.

**Page 5.** — 9. **¡ Qué más quisiera yo !** *Just what I should like!*

20. **¿ Será . . . ?** *Can it be . . . ?* Future of probability; cf. **habrá** in line 24.

25–26. **sigue que te sigue a su hormiga,** *is everlastingly after his ant.* This construction may be used with any verb to signify repetition. The pronoun **te,** which here adds emphasis, is usually omitted.

**Page 7.** — 8. **Cuando así me lo dices,** *Since you tell me so.*

10–12. ¿ **Llevas gran prisa?** — **Alguna llevo.** *Are you in great haste?* — *Somewhat.*

**Page 8.** — 6. **Así para,** *Of a sort to.*

17. **De la mano, lo mismo que tú,** *It speaks of my hand, the same as you.* The reference is to the compliment which Cellini made to Áurea's hand a few lines before. — **dice,** of the previous speech, is understood before **De.**

**Page 9.** — 1. **Y las que han de contar aún,** *And they are going to tell a good many more.* The literal translation is, *And those which they are yet to relate!*

6. **quiso,** *he determined.* A few verbs like **querer** and **saber** have a different meaning in the preterite.

12. ¡ **Eso está bueno!** *That's a good one!*

30. **cuanto libro,** *all the books that.*

**Page 10.** — 5. **amantes de Teruel,** Juan Diego Martínez Garcés de Marsilla and Isabel Segura, sometimes called the Spanish Romeo and Juliet. They are said to have lived in the thirteenth century, and their tragic love story has been treated in numerous poems and plays, among the latter being Hartzenbusch's famous *Los amantes de Teruel.* The story briefly is as follows: Isabel's father, preferring a more wealthy suitor, opposed the marriage of the lovers, but they wrung from him the promise that he would wait until a certain day, while Marsilla set out to win riches. However, the latter returned after the appointed day, and finding Isabel married, he died of grief. This caused her death, and the two lovers were buried together.

6. **cristiana** stands here for **cristianamente.** When adverbs ending in **mente** occur together, the **mente** is dropped from all except the last.

12. **a mi cuidado,** *with his eye on me;* **mi** is felt to be the object of the action expressed by **cuidado.**

18. **que se le figura,** *that seems to him.*

28. **señor;** when used in this manner this word indicates politeness and deference, and may be translated *excellent* or *respected.* Here the politeness is ironical; cf. **señorita doña** in line 30.

**Page 11.** — 17–18. **Le basta y le sobra,** *He has enough and to spare.*

19. **no sé ni dónde anda,** *I don't even know where he is.*

**Page 12.** — 12. **vuelve a llamarme de tú,** *address me familiarly again,* by using the second person. Cellini has just used the formal third person.

19–20. **Todos los hombres … alma,** *We men all carry in our hearts.*

21. **ninguno,** *none of us.*

26. **Y a dicha lo tengo,** *And I consider myself fortunate on account of it.*

**Page 13.** — 21–22. **A un ciego … acompaña,** *One always listens to a blind man and accompanies him.*

**Page 14.** — 3. **con quien fuera,** *with anyone at all.*

27. **por que,** *in order that.* With the subjunctive this meaning is regular.

**Page 15.** — 5. **Santa Marina,** a church in Seville.

16. **romería,** a sort of *pilgrimage* or *outing* to a local shrine, in which a whole community takes part.

18. **se te adoraba,** *you were adored.*

19. **Virgen de los pescadores.** The veneration with which the Virgin is regarded by Spanish fishermen is well described in the novel *José* of Palacio Valdés.

**Page 16.** — 11–12. **que tu cuento me sabe como ninguno,** *for your story pleases me more than any other,* or *has a savor like no other.* One of the meanings of **saber** is *taste.*

**Page 17.** — 13. **habrá;** see note to page 5, line 20.

**Page 19.** — 9. *Chi lo sa!* (Italian) *Who knows!*

10. **que diría mi padre y señor,** *as my honorable father would say;* cf. note to page 10, line 28.

**Page 20.** — 2. **Puerta Macarena,** a gate in the northern part of Seville.

10-11. **que te parecerá . . . llega,** *which will seem to you as if you would never get there.*

29. **¡ Cómo no me engañé!** *How right I was!*

**Page 21.** — 3-4. **¡ Como pudiera ser . . . Indias!** *Just as I might be the Grand Mogul of Hindustan!* **Archipámpano** is a word applied to a person who is impressed with his own importance. It is a parody of such titles as **archiduque** and **arzobispo.** The Indies stand for a region of great wealth.

16-17. **no lo sabe nunca más que ella,** *no one but her ever knows.*

17. **a lo que,** *for what.*

**Page 23.** — 10-11. **¡ Cómo tendrá la cabeza el escocés!** *In what a state the Scotchman's head must be!*

16-17. **en que comercio . . . parte,** *in which I have been dealing for some time now in order to make a living.*

20-21. **a los tres días de hablarnos,** *three days after we spoke to each other for the first time.*

27-28. **Ocho meses llevamos ya,** *We have already been eight months.*

**Page 24.** — 7. **dimos con nuestros huesos . . . cárcel,** freely, *we landed in jail.*

9. **Fortuna, que,** *Fortunately.* The phrase is elliptic for **Fortuna era que** or something similar.

22. **lo que llevo,** *the time that I have been.* See note to page 23, lines 27-28.

30. **me pareció desde que entré . . . día,** *from the moment that I entered, it seemed to me that my baggage was too much, I, too impor-*

*tant a person, and the city, too great and beautiful, for me to continue
being only what I had been up to that day.*

**Page 25.** — 9. **Itálica,** a city west of Seville, founded about
205 B.C. by the Romans. A few ruins are all that remain.

10. **la Virgen de la Servilleta,** *the Madonna of the Napkin,* a
painting by Murillo, now in the Museum of Seville.

11. **cueste lo que cueste,** *whatever it may cost.*

12. **Alcázar.** The Alcázar (*castle*) of Seville was the palace of
the Moorish kings before the capture of the city by the Span-
iards (1248). Since then it has been considerably altered and
rebuilt, and has been used as a residence by the Spanish
kings.

13–14. **don Miguel de Mañara** (1620–1679), after a dissipated
youth, entered the religious order called **Hermandad de la
Caridad,** and paid for the construction of the **Hospital de la
Caridad,** which is the institution referred to in the text.

19. **grande;** see note to page 10, line 6.

22. **una Concepción de Murillo,** *a picture of the Immaculate
Conception by Murillo.* Murillo (1618–1682) was a celebrated
Spanish painter who specialized in the painting of religious
subjects.

**Page 27.** — 21. **Un coche parece,** *It seems to be a coach.* The
change from the normal order adds emphasis.

**Page 28.** — 10–11. **llega a perderse del todo,** *is finally entirely
lost.* **Llegar a,** followed by an infinitive, indicates completion
or attainment of an action or state.

31. **¡ Madre mía!** *Holy Mother!* **Madre** is here equivalent
to **Virgen.**

32. **Si no ha habido peligro alguno,** *Why, there has been no
danger.*

**Page 29.** — 9. **¿ Por quién?** *By whom (do you swear)?*

26. **entre él y tú.** If two pronouns follow the preposition
**entre,** and the form of one of them is identical with that of the
nominative and must precede the other, the second also assumes
the nominative form. Cf. **entre él y yo** in line 27.

**Page 30.** — 2. **Merézcame o no,** *Whether he deserves me or not.*

**Page 31.** — 12. **un alma;** the use of **un** before feminine nouns beginning with stressed **a** or **ha** is common enough, though **una** seems to be preferred.

20. **torpe;** see note to page 10, line 6.

**Page 33.** — 23. **tú;** for the case, see note to page 29, line 26.

**Page 34.** — 1. **Que pase ... y que espere,** *Come in and wait.* Before **Que** is to be understood **Me han dicho** or something similar.

**Page 35.** — 19-20. **plaza de Oriente,** a large square in Madrid, situated in front of the Royal Palace.

**Page 36.** — 23. *Ponte dei Sospiri* (Italian), *Bridge of Sighs,* a high inclosed bridge in Venice, so called because it led from the palace of the Doge to a prison.

**Page 37.** — 2. **la noche de Reyes,** *the eve of Epiphany* (January 6), also called *Twelfth Night.* The **reyes** are the Magi who came to visit the infant Christ. On this holiday presents are given, so that it corresponds in this respect to our Christmas.

**Page 38.** — 20. **Se queda en siete sueños el ángel mío,** *My angel falls into a sound sleep.* Numerals are used frequently in order to obtain emphasis.

**Page 39.** — 2. **toca que toca,** *playing away;* cf. note to page 5, lines 25-26.

17-20. *Oh! simpatica e gentile ... meravigliarsi!* (Italian) *Oh! the little old woman is charming and affable! And I am a fanciful braggart who changes his father as he does his shirt. Cellini, the son of Prince Filippo Malatesta! It is something to wonder at!*

29. **Que toque** is a continuation of Áurea's interrupted question.

**Page 40.** — 28-29. **que no cambia,** *who would not exchange.*

**Page 42.** — 21-22. **tú irás con zapatos a los infiernos,** *you will go straight to the deuce.* — **ir con zapatos** is *to go smoothly and swiftly.*

**Page 43.** — 25. ¿ **No la he de recordar,** *Of course I remember it.*

27. ¡ **Con ser tan poco . . . !** *Though it has been so little . . . !*

**Page 46.** — 4-5. ¡ **Quién pudiera sembrar . . . !** *Would that I could sow . . . !* **Quién** is used regularly in this sense with the **–ra** subjunctive.

# EXERCISES

## I

(Page 3 to page 7, line 5)

A. *Responder a las siguientes preguntas:*

1. ¿ Qué se adivina entre los árboles?
2. ¿ De qué sirven las grandes piedras?
3. ¿ A quién se oye cantar dentro?
4. ¿ Qué quiere Áurea que deje don Leandro?
5. ¿ Qué quería Áurea que hiciera don Leandro?
6. ¿ Cuándo se puede juntar el cielo con la tierra?
7. ¿ Por qué prefiere Áurea que el padre Gonzalito la acompañe?
8. ¿ En qué se apoya Cellini?
9. ¿ Por qué quiere Cellini dar con el camino real?
10. ¿ Qué hace Cellini al tocar la mano de Áurea?

B. *Leer y cambiar* (1) *al plural;* (2) *a la forma negativa;* (3) *a la forma interrogativa:*

1. Ella se acerca cantando.
2. Un lagarto me ha salido al encuentro.
3. Un pajarito pasó piando.
4. Un hombre salió de entre los árboles.
5. El guarda lo dejó entrar en el cercado.
6. El aparecido viene despacio.
7. Ciego soy, por mi desventura.
8. Quisiera dar con el camino.
9. El camino real lleva a la ciudad.
10. Mi padre quiere que yo labre la tierra.

C. *Traducir al español:*

1. In the background is the sea.   2. The stones served as seats.   3. Áurea approaches, singing the following song. 4. Don Leandro did not wish to leave the ants.   5. With whom will Áurea talk?   6. Cellini is heard within.   7. Ramón allowed him to enter.   8. She again looks at herself in the brook.   9. He is blind and cannot see her.   10. He trembles on touching her hand.

## II

(Page 7, line 6 to page 10, line 26)

A. *Responder a las siguientes preguntas:*

1. ¿ Por qué llevaba Cellini gran prisa?
2. ¿ Cuándo dijo Cellini que perdió la vista?
3. ¿ Qué hizo Berto, el hermano de Cellini?
4. ¿ Por qué no metió el alcalde a Berto en la cárcel?
5. ¿ De qué se lamenta Berto?
6. ¿ En qué pusieron empeño los padres de Cellini?
7. Leyendo la historia de los amantes de Teruel ¿ qué hizo Berto?
8. ¿ Cómo se quedó Cellini?
9. ¿ Quién era don Leandro?
10. ¿ Qué estudiaba, y por qué?

B. *Conjugar las oraciones siguientes:*

1. No vuelvo a casa [No vuelves a casa, *etc.*].
2. Me senté a descansar.
3. ¿ Dónde he de sentarme?
4. Me vestí de fraile.
5. Me lamento de esa falta.
6. Terminaré la historia casándolos.
7. Me quedaba con la boca abierta.
8. Voy a componer un gran estudio.

9. La sigo al fin del mundo.

10. Soy tan sabio como él.

C. *Traducir al español:*

1. Cellini was in some haste because his parents used to get alarmed.   2. It was always night for him.   3. He sat down to rest on the stones.   4. He lost his sight at the age of five.   5. Áurea used to look at herself in the brook.   6. He said that his name was Cellini.   7. Berto dressed as a monk and went off to preach.   8. The people prevent the alcalde from carrying out his purpose.   9. Don Luis used to tell how ants lived in summer and winter.   10. He thought that they were as wise as men.

# III

(Page 10, line 27 to page 14, line 27)

A. *Responder a las siguientes preguntas:*

1. ¿ Por qué dijo Áurea que se llamaba Mariuca ?

2. ¿ Por qué no quería Cellini sentarse cuando ella se lo mandó ?

3. ¿ Qué sufría Áurea porque Cellini no veía ?

4. ¿ Por qué le dijo Cellini que podía ver ?

5. ¿ Qué hizo Áurea al saber que él la veía ?

6. ¿ A qué vino Cellini ?

7. ¿ Por qué fingió la ceguera ?

8. ¿ Qué sentía Áurea antes de llegar Cellini ?

9. ¿ Qué enseñaron las monjas a Áurea ?

10. ¿ Dónde penetró Cellini ?

B. *Leer y cambiar del presente* (1) *al pasado absoluto;* (2) *al futuro:*

1. No sé mentir.   2. Te contesto que sí.   3. Se quita el sombrero.   4. Continúan hablando.   5. No nos ocupamos

de ti.    6. Voy a ver.    7. Sigo hablando.    8. Me gusta
oírte.    9. Vuelvo a llamarte de tú.    10. Nos da horas felices.
11. Comprendes todo lo que eres para mí.    12. Nadie me
dice nunca tales cosas.    13. ¿ Qué pone en sus palabras?
14. Me hace temblar.    15. Tus ojos no ven.    16. Mis ojos
no son ciegos.    17. Huye de él.    18. ¿ Quién me trae aquí?
19. ¿ A qué vienen?    20. ¿ Qué quieres decirme?    21. No
siento nada.    22. No puedo esperar.    23. Te oigo confuso.
24. Queremos conocer a Cellini.    25. No se deja entrar a
nadie.

C.  *Traducir al español:*

1. She answered "yes" in order to inspire confidence in
him.    2. He got up and took off his hat.    3. She told him
to go on talking because she liked to hear him.    4. If it
should be necessary, she would order it.    5. She understood
all that she meant (= *was*) to him.    6. What is there in him
that makes her tremble?    7. He does not wish her to suffer.
8. She will not shout, but she will get frightened.    9. He
feigned the blindness in order to come and talk to her.    10. If
he were the son of a great lord, he would not be alone with her.

# IV

## (Page 14, line 28 to end of Act I)

A.  *Responder a las siguientes preguntas:*

1. ¿ Qué creerían los Duques si supieran que Áurea quería
   hablar con Cellini?

2. ¿ Quién va a llegar de tierras andaluzas?

3. ¿ Cómo vestían sus padres a Áurea?

4. ¿ Se acordaba Áurea de lo que Cellini le decía de la romería?

5. ¿ Qué formó Cellini con las flores que halló en el camino?

6. Al llegar a la ermita ¿ qué dijeron a Cellini?

7. ¿ Dónde encerraron sus padres a Áurea?

8. ¿ Por qué dió Cellini por buena y dichosa la vida ?
9. ¿ Cómo explicó Áurea a don Leandro la presencia de Cellini ?
10. ¿ Por qué era forzoso que Áurea y Cellini se separasen ?

B. *Formar oraciones con los verbos siguientes:*

| | | |
|---|---|---|
| haber | vestir | volver |
| contar | escoger | extraviarse |
| venir | saber | conducir |
| querer | dar | quedar |
| nacer | acordarse | ver |
| importar | tener | encaminarse |
| sentir | traer | conocer |

C: *Traducir al español:*

1. Only this afternoon are they to speak to each other.
2. It did not matter that his wings were invisible.   3. They dressed her as a fisher-girl.   4. Her parents made him get in by her side.   5. On seeing himself there he became frightened.
6. That night he was thirsty and feverish.   7. He was very far from deserving her.   8. Why go off without making her a confession ?   9. They were not to blame.   10. What a blind man ! What an afternoon !

# V

(Page 19 to page 23, line 24)

A. *Responder a las siguientes preguntas:*

1. ¿ Qué dice Cellini de Sevilla ?
2. ¿ Qué le costó poco trabajo ?
3. ¿ Qué haría la verja al ceder al impulso de su mano ?
4. ¿ Hasta dónde había de andar sin temor ?
5. Cuando está aguardando la llegada de la mujer ¿ qué dice que sentiría ?

6. ¿ Cuántos años pasaron sin que oyese la voz de Áurea?
7. ¿ Qué dice que creían él y Áurea?
8. ¿ Qué comprendió Áurea al ver a Cellini en los jardines públicos?
9. ¿ Con qué ocasión conoció Cellini al escocés?
10. ¿ Cómo trataba el escocés a Cellini?

B. *Llenar los espacios en blanco con las palabras correspondientes:*

1. No —— alma viviente y —— luz.
2. Amor fué lo que aquí le ——.
3. La verja cederá, haciendo —— una campana.
4. Sentiré que —— una burla.
5. Con un ademán le indicó que ——.
6. Han pasado más —— quince años.
7. Más —— una vez he —— aquella tarde.
8. No hay puerta que no se —— a mi nombre.
9. He dado en París —— un caballero escocés.
10. Me trató como si —— hermano suyo.

C. *Traducir al español:*

1. After taking some steps he looked toward the door.   2. It had cost him little trouble to acquire blue blood.   3. He was going to approach the light.   4. The gate made a bell ring.   5. No one will come out to meet him.   6. He found no one in the house either.   7. Did they think they had taken leave of each other forever?   8. There was no beggar who did not bless him.   9. He made her laugh with his title.   10. He thought he was the maddest man in the world.

# VI

(Page 23, line 25 to end of page 28)

A. *Responder a las siguientes preguntas:*

1. ¿ En qué se empeñó el escocés?
2. ¿ Por qué durmieron los dos en una catedral?

3. Al llegar a Córdoba ¿ qué hizo el escocés?
4. ¿ Qué pidió a Cellini?
5. ¿ Qué dice Cellini que nunca habían sabido los ojos de Áurea?
6. ¿ Qué dijo de las cosas que ella podía pedirle?
7. ¿ Por qué con súbita alarma escucharon los dos sin hablar?
8. ¿ Qué hace el cochecillo después de acercarse?
9. ¿ Por qué dió Áurea un grito de espanto?
10. ¿ Cómo explicó Cellini la venida del cochecillo?

B. *Leer las oraciones siguientes con las formas propias del subjuntivo:*

1. (*hacer*) Se empeña en que lo —— en su compañía.
2. (*continuar, buscar*) Me pidió que —— el viaje y —— hospedaje.
3. (*venir*) Voy a esperar hasta que ——.
4. (*costar, costar*) Quiere fundar un hospital —— lo que ——.
5. (*huir*) No quería que el duque —— de la justicia.
6. (*pedir*) Va a concederme lo que le ——.
7. (*poder*) Entre cuantas cosas me —— pedir, le negaré sólo una.
8. (*acercar*) Teme que el cochecillo se ——.
9. (*haber*) Sentía que se —— aventurado.
10. (*ser*) No cree que los del coche —— gente de fiesta.

C. *Traducir al español:*

1. He insisted on making the trip in his company. 2. They wished to see the moonlight enter the cathedral. 3. He begs him to continue his journey and seek lodging. 4. He filled the servant's head with fancies. 5. As soon as he became tired of one world, he leaped into another. 6. On arriving, he did not greet the portrait. 7. Trembling with anxiety, she had come to the villa. 8. Her eyes had never known what tears were. 9. Who could have betrayed her? 10. Opening the door, he saw that no one was there.

# VII

### (Page 29 to end of Act II)

A.  *Responder a las siguientes preguntas:*

1. ¿ Qué pensó Áurea de lo que había hecho?
2. ¿ Por qué vino a ponerse entre Cellini y el del retrato?
3. ¿ Cómo siente el desvío de su esposo?
4. Cuando ella le sigue ¿ qué hace?
5. ¿ Qué dice Áurea del efecto de sus celos?
6. ¿ Qué dice del arroyo?
7. ¿ Qué le pidió a Cellini?
8. ¿ De qué se rió Áurea?
9. ¿ Cuándo va a salir Cellini de Sevilla?
10. ¿ Qué dirán cuantos le conocieron?

B.  *Leer las oraciones siguientes con las formas propias del subjuntivo:*

1. (*jurar*) Quería que usted —— decirme la verdad.
2. (*Tranquilizarse*) ——, Áurea.
3. (*merecer, matar*) Si te —— no le ——.
4. (*buscar*) No —— la razón de este amor.
5. (*hacer*) No me —— usted caso.
6. (*alejar*) No le pido que se —— de aquí.
7. (*llegar*) No es posible que yo —— a suplicarte.
8. (*herir*) Murió sin que lo —— espada alguna.
9. (*salir*) Después que nosotros ——, se irá.
10. (*Despedirse*) —— tú y yo para siempre.

C.  *Traducir al español:*

1. Let us finish.  I want you to swear to tell the truth.
2. Is it certain that there was a challenge?    3. Is it possible that he is going to kill her husband?    4. She wanted him to be noble, as he had always been.    5. If he had deserved her, she would not have wept.    6. She asked him not to hear her,

except when she should ask for generosity. 7. Do not be timid and cowardly. 8. Let us not look for gold in the very center of the earth. 9. He said he would go before dawn should break. 10. She says that she wants him to see her again.

# VIII

## (Page 34 to page 38, line 20)

A. *Responder a las siguientes preguntas:*

1. Al llegar el músico cerca del caserón ¿ qué hace?
2. ¿ Qué hace Cellini después de acercarse a la chimenea?
3. ¿ Qué piensa de los señores del caserón?
4. ¿ Cuál fué el atrevimiento de Áurea?
5. ¿ Qué dijo Cellini del frío que hacía en la casa de huéspedes?
6. ¿ Cómo andaba el patrón?
7. ¿ Qué dijo Cellini de la profesión que había escogido?
8. ¿ Qué dijo de su buen humor?
9. ¿ Por qué debía gratitud a la casa?
10. ¿ Qué hubiera hecho si hubiese sabido que la limosna venía del niño?

B. *Formar oraciones con los siguientes verbos empleados en el imperfecto de subjuntivo:*

|          |            |          |
|----------|------------|----------|
| esperar  | pedir      | oír      |
| disculpar| dar        | seguir   |
| haber    | ser        | dormirse |
| compadecer| querer    | sentir   |
| andar    | disponerse | decir    |
| sentarse | retener    | empezar  |

C. *Traducir al español:*

1. He rubbed his hands after approaching the fireplace.
2. She begged him to be so kind as to excuse her boldness.
3. She did not think that he was so old. 4. It was much

colder in the boarding-house.   5. It was probable that he
had little right to complain of his profession.   6. His father
and mother loved each other madly.   7. His mother lost her
reason and he saw himself in poverty.   8. He told her to
command him freely.   9. If he had known that the alms
came from a child, he would have kept the money.   10. She
hoped that the Lord would hear him.

# IX

## (Page 38, line 21 to page 42, line 24)

A. *Responder a las siguientes preguntas:*

1. ¿ Qué deseaba Áurea de Cellini?
2. ¿ Qué tenía Cellini que hacer en el mundo?
3. ¿ Qué hacía cuando había flores a su alcance?
4. ¿ Por qué llamó la madre a Áurea?
5. ¿ Por qué quería Áurea que tocase Cellini el violín?
6. ¿ Qué canción toca Cellini?
7. ¿ Cómo se llamaba el niño?
8. Al darse las manos ¿ qué hacen Áurea y Cellini?
9. ¿ Por qué no reconoció Cellini a Áurea?
10. ¿ Por qué tendría Cellini gran placer si el marido estuviera
    en el cielo?

B. *Hacer dos preguntas sobre cada una de las oraciones
siguientes, y dar las respuestas:*

1. Ya no tengo más que hacer que pasar a la hora que usted
   me ordene.
2. Por algún sitio pasaré toca que toca.
3. Hay un niño que me espera para mandarme una limosna.
4. Después de subir volveré en seguida.
5. Estaba inquietísimo el niño y volvió a preguntar por usted.
6. Tocó el violín para hacerle pensar que pasaba.
7. Dijo al niño que se durmiese con la cancioncilla soñando.

8. Estaba a punto de acabar, cuando Áurea bajó.
9. El niño se llamaba Berto, como uno de los hijos de Áurea.
10. Se miraron otra vez enternecidos y se rieron.

C. *Traducir al español:*

1. She wanted him to pass by a little earlier every night.
2. He had to play the violin in order that the child might go
to sleep.     3. There was a child waiting for him in order to
send him alms.     4. The child asked for him again.     5. He
made him think that he was passing.     6. She went up to
tell it to her daughter.     7. He was on the point of ending
when she appeared again.     8. Observing Áurea, he no longer
knows her.     9. He had no hope of seeing her again.     10. She
thought that she had saved her husband's soul.

# X
## (Page 42, line 25 to end of Act III)

A. *Responder a las siguientes preguntas:*

1. ¿ De dónde vino el violín de Cellini?
2. ¿ Cuándo aprendió a tocarlo?
3. ¿ Qué hace con lo que le dan por caridad?
4. ¿ Qué les quedó de su amor a Áurea y a Cellini?
5. ¿ Qué vió Áurea cuando se sentó en una de las piedras?
6. ¿ De qué se ríen los nietos?
7. ¿ Qué hizo Áurea después de llorar un poco?
8. Si la vida es un sueño ¿ cómo fué la de Áurea y Cellini?
9. ¿ Por cuánto tiempo se despidieron la vez primera?
10. ¿ Qué hace la flor al acercar nuestras manos a ella?

B. *Hacer dos preguntas sobre cada una de las oraciones
siguientes, y dar las respuestas:*

1. Aprendió a tocar este violín de niño, con su padre.
2. Le parece un amigo de la niñez que viene a recordarle
     aquellos días.

3. Lo que al nacer nos dan es lo que damos en la vida.
4. No le queda nada de aquel ciego amor suyo.
5. No volvió al cercado hasta hace dos años.
6. Se sentó en una de las piedras y cerró los ojos.
7. Los nietos se rieron de que la abuelita se estuviese mirando.
8. Después de llorar un poco volvió a reírse como ahora.
9. Es flor de luz que huye o se desvanece.
10. Es el único pecadillo que cometió y no ha de condenarse por él.

C. *Traducir al español:*

1. A poor musician, on dying, left him this violin. 2. He learned to play it as a child. 3. It was a friend that came to recall those days to him. 4. What they gave us is what we gave. 5. Nevertheless, what is left to them of their love? 6. She sat down and saw him approach. 7. Her grandchildren were laughing that she should be looking into the water. 8. After looking at myself in the water, I also laughed. 9. He will return while the child wishes it. 10. Happy, those who succeeded in uniting the stories of their lives!

# VOCABULARY

# VOCABULARY

The more common pronouns and possessives and words of the same meaning spelled alike in both languages are omitted.

## A

**a** to, at, in, into, on, of, after, for, with; **al** + *inf.* on, upon, in

**abandonar** abandon

**abierto, –a** open

**abofetear** cuff, box, strike

**abrir** open; **—se** open

**absoluto, –a** absolute

**absorto, –a** buried in thought

**abuela** *f.* grandmother

**abuelita** *f.* little grandmother, granny

**abundante** abundant, ready

**abundar** abound, be numerous

**acá** hither, here, on this side; **de —,** this side

**acabado, –a** finished

**acabar** finish; **— con** kill, rout

**acariciar** caress

**acaso** perhaps

**acceso** *m.* access, entrance

**acción** *f.* action

**acechar** waylay

**acentuar** accentuate

**aceptación** *f.* acceptance

**aceptar** accept

**acercar** bring near, approach; **—se (a)** approach, draw near

**acierto** *m.* success, hit

**acompañar** accompany

**aconsejar** counsel, advise

**acordarse (de)** remember

**acostumbrado, –a** accustomed

**actitud** *f.* attitude

**actividad** *f.* activity

**acto** *m.* act; **en el —,** on the spot

**actuar** function

**acuerdo** *see* **acordarse**

**adecuado, –a** fit, adequate

**adelante** forward, on; **camino —,** straight ahead; **llevar —,** *see* **llevar; más —,** later on

**ademán** *m.* gesture

**además** furthermore, besides

**adiós** farewell

**adivinar** guess, make out; **se adivina** one conjectures

**admirar** admire

**adolescencia** *f.* adolescence

**adolescente** *m.* youth; **de —,** youthful

**adónde** where, whither

**adorar** adore

**adquirir** acquire

**adquisición** *f.* acquisition

**afilar** sharpen

**afirmarse** strengthen oneself

**agitarse** struggle

**agradable** agreeable

**agradecer** be grateful for

**agradezco** *see* **agradecer**

**agua** *f.* water

**aguardar** await, wait

73

**ah** oh

**ahí** there

**ahora** now

**aire** *m.* air

**ajedrez** *m.* chess

**ajeno, -a** alien; **— a** unaware of

**ajuar** *m.* furniture, belongings, possessions

**ala** *f.* wing

**alarma** *f.* alarm

**alarmar** alarm; **—se** become alarmed

**alcalde** *m.* mayor

**alcance** *m.* reach, scope

**alcanzar** attain

**alcázar** *m.* castle; *see note to page 25, line 12*

**aldea** *f.* village

**alegrar** cheer, rejoice; **—se** be glad

**alegre** glad, joyful, joyous

**alegría** *f.* joy, gladness

**alejado, -a** apart

**alejarse** go away, depart; disappear in the distance

**alemán** *m.* German

**algo** something

**alguien** somebody, anybody

**algún, alguno, -a** some, any, some one; **—a vez** once

**alma** *f.* soul, heart; **muy del —,** very deep, earnest

**alocado, -a** wild

**alternativa** *f.* alternative; *pl.* ups and downs

**alto, -a** high, exalted; **en lo —,** above

**alumbrar** light, illuminate, shine

**allá** there, yonder

**allí** there

**amable** amiable, kind

**amanecer** dawn; **amaneció asesinado** was found assassinated at dawn

**amanecer** *m.* dawn

**amaneramiento** *m.* mannerism

**amanezca** *see* **amanecer**

**amante** *m. & f.* lover

**amar** love; **—se** love each other

**amargor** *m.* bitterness

**ambición** *f.* ambition

**ambiente** *m.* air, atmosphere

**ambulante** itinerant, wandering

**amenaza** *f.* threat

**amenazar** threaten

**americano** *m.* American; *adj.* American

**amigo** *m.* friend

**amistad** *f.* friendship

**amor** *m.* love; **con mil —es** very gladly

**amplitud** *f.* amplitude

**ancho, -a** broad

**Andalucía** *f.* Andalusia

**andaluz, -a** Andalusian; *n. m.* Andalusian, Andalusian dialect; **todo lo —,** everything Andalusian

**andar** walk, go; be; **— al cuidado de** take care of, pay attention to

**angustioso, -a** painful, sharp, keen

**anhelante** panting, eager

**anhelo** *m.* desire, longing, eagerness

**ánimo** *m.* mind

**anoche** last night

**anormal** extraordinary, abnormal

anormalidad *f.* singularity

ansiedad *f.* anxiety

ansioso, –a anxious, eager

ante before, in the presence of

anterior previous

antes before, first; formerly, previously; — de, — que, — de que before

antesala *f.* anteroom

antigualla *f.* antique

antigüedad *f.* antiquity

antitético, –a antithetical

antojarse fancy, take a notion; occur

anunciar announce

año *m.* year; a los cinco —s at the age of five

apagar extinguish, put out

aparecer appear; se nos aparece we visualize

aparecido *m.* apparition, newcomer

aparición *f.* appearance

apariencia *f.* appearance

apartado, –a distant, solitary

apasionadamente passionately

apellido *m.* surname

apenas scarcely, as soon as; sin voz —, almost without voice

aplauso *m.* applause

aplicar apply

apoyarse lean

aprender learn

apropiado, –a appropriate

aproximarse approach, draw near

apuesto, –a elegant, well dressed, spruce

apuro *m.* strait

aquel, aquella that; el ... —, that; *pl.* those

aquél, aquélla that one

aquello that

aquí here; hasta —, till now; por —, *see* por

arañar scratch, scrape

árbol *m.* tree

arca *f.* chest, coffer, money-box

arcaico, –a archaic

archipámpano *m.* Grand Mogul

ardiente ardent, fervent

armónico, –a harmonious

aroma *m.* fragrance, aroma

arraigado, –a rooted

arrancar spring

arranque *m.* landing

arrastrar drag

arrogancia *f.* arrogance, haughtiness

arrogante arrogant, proud, haughty; impetuous

arroyito *m. dim. of* arroyo brook, rivulet

arroyo *m.* brook, stream

arroyuelo *m. dim. of* arroyo brook, rivulet

arte *m. or f.* art

artista *m. & f.* artist

artístico, –a artistic

asegurar assure

asesinar assassinate; *see* amanecer

así thus, so, just, like that; — como as well as; — para of a sort to

asiento *m.* seat

asilo *m.* asylum

asomar appear; —se (a) look out, look into

asombro *m.* surprise

asomo *m.* appearance, trace

asustar frighten; —se become frightened, be afraid

ataque *m.* attack
atar tie, bind
atención *f.* attention, favor
atender mind, pay attention to
atiendas *see* atender
atónito, –a astonished
atravesar cross
atraviesa *see* atravesar
atrevimiento *m.* boldness
aun, aún, still, yet, even
aunque although
autor *m.* author
avanzado, –a advanced
aventura *f.* adventure, escapade
aventurarse risk oneself, venture
ay oh, alas; ¡ — de mí! alas for me! woe is me! alas!
ayer yesterday
ayo *m.* tutor, preceptor
azar *m.* accident, hazard, chance; al —, accidentally
azul blue
azuzar incite, spur on

## B

bah pshaw
bajar descend
bajo *prep.* under
bajo, –a low
barba *f.* beard
bárbaramente barbarously
barrio *m.* quarter, district
base *f.* base, basis
bastante sufficient
bastar suffice; **basta ya** enough; **le basta y le sobra** he has enough and to spare
bastón *m.* stick
batalla *f.* battle

beber drink
belleza *f.* beauty
bello, –a beautiful
**Benavente, Jacinto** (1866–) *the leading contemporary Spanish playwright*
bendecir bless
bendigo *see* bendecir
bendito, –a blessed
**Berto** Bert
besar kiss
beso *m.* kiss
bien well, fine, quite, fortunate, very well; — **venga** welcome to him; — **está** good
bien *m.* good, benefit; —**es** riches
bienaventurado, –a blessed, happy, fortunate
blanco, –a white; **en —,** blank
blando, –a soft
boato *m.* show, ostentation
bobo, –a stupid, silly
boca *f.* mouth
bochornoso, –a shameful, disgraceful
boda *f.* marriage; *pl.* marriage
bondad *f.* goodness, kindness
bonito, –a pretty, nice
bordear border
borracho, –a drunk
bosque *m.* wood, forest
brazo *m.* arm
**Bretón de los Herreros, Manuel** (1796–1873) *dramatic author of short satirical and realistic plays*
buen, bueno, –a good, kind; — **señor** worthy man; **tan** — **que** so kind as to
bullicioso, –a noisy, lively, merry

**burla** *f.* joke, jest, mockery
**burlar** elude
**buscar** seek, find, get; **—se**
seek each other
**busque** *see* **buscar**

## C

**caballero** *m.* gentleman
**cabellos** *m. pl.* hair
**cabeza** *f.* head
**cabo** *m.* end; **al —,** finally
**cada** each
**caer** fall
**cal** *f.* lime; **— y canto** mortar
and stone; **de — y canto**
indifferent, deaf as a post
**calar** draw down, press down,
pull down
**Calderón de la Barca, Pedro**
(1600–1681) *famous Spanish
dramatist, author of " La
vida es sueño" and " El
alcalde de Zalamea "*
**calidad** *f.* quality
**calma** *f.* calm, calmness
**calmarse** be calm, become calm
**calor** *m.* heat, warmth
**callado, –a** silent
**callar** be silent
**calle** *f.* street
**callejero, –a** strolling, street-
wandering
**cama** *f.* bed
**cambiar** (de) change, exchange; **—se** (de) change
**cambio** *m.* change; **en —,** on
the other hand
**camino** *m.* road, way; **— real**
highway; **— adelante**
straight ahead
**camisa** *f.* shirt

**campana** *f.* bell
**campesino** *m.* peasant
**campestre** wild
**campo** *m.* field, country
**canallesco, –a** low, base
**canción** *f.* song
**cancioncilla** *f. dim. of* **canción**
little song
**cándido, –a** simple, candid,
frank, ingenuous
**candorosamente** artlessly
**candoroso, –a** candid, simple,
ingenuous
**cansado, –a** weary
**cansarse** become weary
**cantar** sing
**canto** *m.* stone; *see* **cal**
**capa** *f.* cape, cloak
**capacidad** *f.* ability
**capacitado, –a** qualified
**capaz** capable
**capricho** *m.* caprice, whim
**caprichoso, –a** capricious
**cara** *f.* face
**carácter** *m.* character; characteristic (*quality*)
**característico, –a** characteristic
**caracterizar** characterize
**carcajada** *f.* burst of laughter
**cárcel** *f.* prison, jail
**carcomido, –a** worm-eaten
**carecer** (de) lack
**caricaturesco, –a** caricature-
like
**caridad** *f.* charity
**carita** *f. dim. of* **cara** face, little
face
**caritativo, –a** charitable, kind
**Carlos IV** (1748–1819) *King
of Spain*
**carne** *f.* flesh

**carroza** *f.* carriage

**carta** *f.* letter

**casa** *f.* house, home

**casar** marry, marry off, give in marriage

**cascabel** *m.* bell

**caserón** *m.* large rambling house, mansion

**caseta** *f.* little house, lodge

**casi** almost

**caso** *m.* case; **hacer —**, mind

**castellano, –a** Castilian; *n. m.* Castilian

**Castilla** *f.* Castile; **— la vieja** *was the name given to the original Castile, which extended its boundaries by conquest (this name is now used to comprehend the provinces of Burgos, Santander, Logroño, Soria, Segovia and Avila); —* **la nueva** *comprehends the territory of Castile which lies to the south of the provinces mentioned above*

**castizo, –a** pure (*in style, language, etc.*)

**catalogar** catalogue

**catedral** *f.* cathedral

**categoría** *f.* category

**caudal** *m.* wealth

**causa** *f.* cause; **por su —**, on their account

**causar** cause

**cautivar** captivate, charm

**cayó** *see* **caer**

**ceder** yield

**ceguera** *f.* blindness

**celebrar** celebrate, praise; **—se** be celebrated

**célebre** celebrated, famous

**celos** *m. pl.* jealousy

**celosía** *f.* blind, window-blind

**celoso, –a** jealous

**centro** *m.* center

**cepa** *f.* stock, line, race

**cerca** near; **— de** near

**cercado** *m.* garden, field, park

**cercano, –a** near-by

**cerebro** *m.* brain

**cerrar** close, shut

**cerrojo** *m.* bolt

**certidumbre** *f.* certainty

**Cervantes, Miguel de** (1547–1616) *prince of Spanish letters, author of " Don Quijote" ; as a dramatist he is unexcelled for his " entremeses "*

**cesar de** cease

**ciego, –a** blind; *n. m.* blind man

**cielo** *m.* heaven, sky

**cien, ciento** hundred

**cierro** *m.* enclosure; **— de cristales** glass-covered balcony

**ciertamente** certainly

**cierto, –a** certain, true, right; **de —**, really; **por —**, certainly

**cima** *f.* top; **por — de** over, above

**cinco** five

**cintarazo** *m.* blow (*with the flat of the sword*), slap

**cintura** *f.* waist, girdle, belt

**circunspecto, –a** circumspect ceremonious

**cita** *f.* summons, appointment, meeting

**citar** cite, quote

**ciudad** *f.* city

**ciudadano** *m.* citizen

**civilización** *f.* civilization

**clamoroso, –a** clamorous
**claro, –a** clear, open; **es —,** to be sure
**clásico, –a** classic
**clima** *m.* climate
**cobarde** cowardly
**cobardía** *f.* cowardice
**coche** *m.* carriage, coach
**cochecillo** *m. dim. of* **coche** small carriage
**coger** pick, take, catch
**coincidencia** *f.* coincidence
**coincidir** coincide
**cojo** *see* **coger**
**colección** *f.* collection
**color** *m.* color; **de —es** colored
**combatido, –a** combated, assaulted, assailed
**comedia** *f.* comedy (*used in particular of the drama of Lope de Vega and his imitators*)
**comedianta** *f.* actress
**comer** eat
**comerciar** deal
**comercio** *m.* commerce, business
**cometer** commit
**cómico, –a** comic
**comida** *f.* meal, dinner
**como** as, as if, like, just as; **así —,** as well as; **— que** as if
**cómo** how, why, what, what . . . like; **— no** certainly, of course
**compadecer** pity
**compadezca** *see* **compadecer**
**compaña** *f.* company
**compañero** *m.* companion
**compañía** *f.* company
**compararse** be compared

**complejidad** *f.* complexity
**complejo, –a** complex
**completamente** completely
**completar** complete
**completo, –a** complete
**complicidad** *f.* complicity
**componer** compose; **—se** prink, smooth one's clothes, dress with elegance
**componga** *see* **componer**
**comprar** buy
**comprender** understand
**comprometer** compromise
**compuesto, –a** composed
**común** common
**comunicarse** be communicated
**con** with, of, to
**concebir** conceive
**conceder** concede, grant
**concentrar** concentrate
**concepción** *f.* conception; **Concepción** *picture of the Immaculate Conception*
**concibo** *see* **concebir**
**concreto, –a** concrete
**Conde** *m.* count; *pl.* count and countess
**condenarse** be condemned
**Condesa** *f.* countess
**conducir** conduct
**confesar** confess
**confesión** *f.* confession
**confiado, –a** confident
**confianza** *f.* confidence, intimacy
**confieso** *see* **confesar**
**confortable** comfortable
**confortante** comforting, bracing
**confundirse** be mistaken
**confuso, –a** confused
**conjugar** conjugate

**conmigo** with me

**conmover** move, touch, affect

**conocer** know, recognize; make the acquaintance of

**conocimiento** *m.* knowledge

**conozco** *see* **conocer**

**conque** so then

**conquistar** conquer, win

**consagrar** consecrate, dedicate

**conseguir** obtain, win

**consentir** consent

**conservación** *f.* preservation

**conservar** conserve, preserve, keep

**considerar** consider

**consistir** consist

**consolador, –ora** consoling

**consolar** console (de for)

**constante** constant

**constituír** constitute

**construír** construct

**consuelo** *m.* comfort, consolation

**contacto** *m.* contact

**contar** tell, relate, count; — **con** count on; — **con que** count on the fact that; — **por** count

**contemporáneo, –a** contemporary; *n. m.* contemporary

**contener** contain, restrain

**contento, –a** contented, satisfied

**contestar** answer

**contigo** with you

**continente** *m.* continent

**continuación** *f.* continuation; **a** —, following

**continuar** continue

**contorsión** *f.* contortion

**contra** against

**contrahecho, –a** counterfeit, false

**contrariado, –a** vexed

**contraste** *m.* contrast

**convencer** convince

**convencional** conventional

**conveniente** proper

**convenir** be suitable, well, proper

**convento** *m.* convent

**conversación** *f.* conversation

**convertir** convert

**copiar** copy, reproduce

**copioso, –a** copious

**corazón** *m.* heart

**Córdoba** *f.* Cordova (*a city of Spain*)

**cordura** *f.* wisdom, common sense

**corona** *f.* crown, coronet

**correcto, –a** correct

**correr** run, pass

**corresponder** correspond

**correspondiente** corresponding

**corro** *m.* group

**cortesía** *f.* courtesy

**corto, –a** short

**cosa** *f.* thing

**costar** cost; **cueste lo que cueste** whatever it may cost

**costumbre** *f.* custom; **teatro de** —**s** *theater dealing with manners or customs of everyday life*

**creación** *f.* creation

**creador, –ora** creative

**crear** create

**crecer** grow, grow up

**credulidad** *f.* credulity

**creer** believe, think

**criada** *f.* servant, maid

**criado** *m.* servant; **de** —, as servant

**criatura** *f.* creature, being

**cristal** *m.* glass; *see* **cierro**

**cristianamente** in a Christian manner

**Cruz, Ramón de la** (1731–1794) *leading dramatist of his epoch, famous for his short comic plays called " sainetes "*

**cuadro** *m.* picture, scene

**cual (el), la —,** which, who, whom

**cuál** what, which

**cualquier** whatever, any

**cuando** when; since

**cuándo** when

**cuanto, –a** all that, whatever, every ... that, all those who; as much as; **— más** the more; **en —,** as soon as

**cuánto, –a** how much

**cuatro** four

**cubrir** cover

**cuenta** *f.* account; **tener en —,** bear in mind; **darse — de** realize, notice

**cuenta** *see* **contar**

**cuento** *m.* story

**cuerda** *f.* cord, string

**cuerpo** *m.* body

**cueste** *see* **costar**

**cuidado** *m.* care; **a mi —,** in charge of me, looking out for me; *see* **andar**

**cuidado, –a** cared for

**culminar** culminate

**culpa** *f.* blame; **tener la —,** be to blame

**cultivar** cultivate

**culto, –a** cultivated

**curiosidad** *f.* curiosity, interest

**cuyo, –a** whose

## Ch

**charla** *f.* speech, prattle

**charlar** chatter, talk wildly

**chico, –a** small

**chimenea** *f.* fireplace

**chiquillo** *m. dim. of* **chico** little one

**chiquitín** *m. dim. of* **chico** little one

**chispa** *f.* spark

**chiste** *m.* jest

## D

**dádiva** *f.* gift

**dar** give; **— con** hit upon, find; **—a conocer** introduce; **— en** meet with, come upon; **— en la flor** fall into the trick of; **— por** consider; **— unos pasos** take some steps; **—se** be given, exist; **—se cuenta de** realize, notice; **—se las manos** clasp hands; **—se prisa** make haste; **—se a conocer** gain recognition

**de** of, from, by, as, for, with, on, about, at, to, than, in

**deber** ought, must; owe, be indebted for; **— de** must; **—se** be due; **yo debí matarlo** I should have killed him

**débil** weak, feeble

**decadencia** *f.* decadence

**decadente** decadent

**decidir** decide, induce

**decir** say, tell; **como si dijéramos** so to speak

**definitivo, –a** definitive

**dejar** leave, let, allow; let go,

lay aside; — **de** cease to, omit to; **sin** —**se seducir** without allowing themselves to be tempted

**delante** before; — **de** before, in front of

**delicadeza** *f.* delicacy

**delicado, –a** delicate, exquisite

**delirar** rave, talk madly

**demás** rest, other, others

**demasiado** too much, too

**demostrar** demonstrate

**denso, –a** dense

**dentro** within, inside; — **de** within

**derecha** *f.* right hand, right

**derecho, –a** right; *n. m.* right

**derredor: en** —, round about

**desacierto** *m.* failure

**desafío** *m.* challenge, duel

**desangrarse** bleed

**desanimar** discourage

**desaparecer** disappear

**desarrollarse** develop

**desatinado, –a** mad, wild, nonsensical

**desatino** *m.* folly, extravagance

**desazonarse** be indisposed, feel badly

**descansar** rest

**descender** descend, proceed from

**descollar** excel

**desconcertado, –a** disconcerted, embarrassed

**descorrer** slip back, throw back, open

**descubrir** discover; —**se** disclose oneself, make oneself known, give oneself away; unveil

**desde** since, from; — **que** since

**desear** desire, wish for

**desenlace** *m.* denouement, ending

**deseo** *m.* desire

**desesperado, –a** desperate, desperately

**desesperar** drive to desperation, vex

**desgracia** *f.* misfortune

**desierto, –a** deserted

**designio** *m.* plan

**desnudo, –a** bare, stripped

**despacio** slow, slowly

**despedirse** take leave, say good-by, part

**despertar** awake

**despreciar** despise, scorn

**despreocupado, –a** unprejudiced, care-free

**después** afterwards; — **de**, — **que** after

**destroce** *see* **destrozar**

**destrozar** destroy

**destruír** destroy

**destruyen** *see* **destruír**

**desvanecerse** vanish

**desvarío** *m.* madness, delirium

**desventura** *f.* misfortune; **por mi** —, to my misfortune

**desvío** *m.* aversion

**detener** detain, stop; *see* **marcha**

**devorar** devour

**devoto, –a** devout, reverential; *n. m.* devotee, ardent worshiper

**di** *see* **dar** *and* **decir**

**día** *m.* day; —**s pasados** some days ago

**diablo** *m.* devil, imp; — **de** rascally

**diablura** *f.* deviltry, escapade

**dialecto** *m.* dialect
**diálogo** *m.* dialogue
**diantre** *m.* devil, imp; **el —
del** the impish
**dibujado, –a** drawn
**dices** *see* **decir**
**dictado** *m.* title
**dicha** *f.* happiness, good fortune; *see* **tener**
**dicho** *see* **decir**
**dicho, –a** the said; **todo lo —,**
all that has been said; *n. m.*
saying
**dichoso, –a** happy, blessed,
fortunate
**dieron** *see* **dar**
**diestramente** skilfully
**diez** ten; **a las —,** at ten
o'clock
**diferencia** *f.* difference; **a —
de** unlike
**diferente** different
**difícil** difficult
**dificultad** *f.* difficulty
**dignamente** worthily
**dignidad** *f.* dignity
**digno, –a** worthy
**dijéramos** *see* **decir**
**dinero** *m.* money
**Dios** *m.* God; **— mío** my
goodness; **por amor de —,**
for heaven's sake; **— del
cielo** good heavens; **por —,**
for heaven's sake; **por —
que** by heaven I swear that;
**— de —,** great heavens
**dirección** *f.* direction; **en — a**
going toward
**discretamente** wisely
**discreto, –a** discreet, clever,
wise
**disculpar** excuse, pardon

**discurrir** think up, imagine,
invent
**discusión** *f.* discussion
**disgusto** *m.* displeasure,
trouble
**disimular** dissemble, pretend,
feign
**disimulo** *m.* dissimulation
**disparate** *m.* folly, nonsense,
mad notion
**disponerse** prepare
**distancia** *f.* distance
**diste** *see* **dar**
**distinguir** distinguish, honor;
**— de** distinguish
**distinto, –a** distinct, different
**diverso, –a** diverse, varied
**divertido, –a** amusing
**divino, –a** divine
**divisar** perceive, catch sight of
**doblón** *m.* doubloon
**dolor** *m.* pain, sorrow; pity
**doloroso, –a** painful
**dominante** dominant
**dominar** dominate, take possession of
**don** Sir, Mr.
**donde** where; **por —,** through
which, by where; **en —,** in
which; **por — quiera** anywhere
**dónde** where
**doña** Lady, madam, Mrs.
**dormir** sleep; **—se** go to sleep
**dos** two; **los —,** the two, both
of us
**dotado, –a** endowed
**doy** *see* **dar**
**dramático, –a** dramatic
**duda** *f.* doubt
**dudar** doubt
**dudoso, –a** doubtful

**duelo** *m.* duel
**duende** *m.* goblin, ghost
**dueño** *m.* master, lord
**duerme** *see* **dormir**
**dulce** sweet, gentle
**duque** *m.* duke; *pl.* duke and duchess

# E

**e** (*before* **i** *or* **hi**) and
**eco** *m.* echo
**edad** *f.* age
**educación** *f.* education, rearing
**educar** educate, bring up
**efectista** sensational
**efecto** *m.* effect; **en —**, in fact
**efusión** *f.* effusion
**eh** eh, what
**ejemplo** *m.* example
**el, la** the, the one, that; **— que** the one that, the one who, who, whom, which, that which, what
**elegante** elegant
**elemento** *m.* element
**elevado, –a** elevated
**elevar** elevate
**elogio** *m.* praise; **propio —**, self-praise
**ello** it
**embargo** *m.* embargo, hindrance; **sin —**, notwithstanding, nevertheless, still
**embozado, –a** muffled up
**embustero** *m.* deceiver
**emoción** *f.* emotion
**empeñarse** insist
**empeño** *m.* determination, eagerness, zeal; *see* **poner**
**empezar** begin
**empieza** *see* **empezar**

**empleado, –a** used
**empleo** *m.* employment
**emprender** undertake
**en** in, at, on, into, under, to
**enamorado, –a** enamored, charmed; **— de su persona** in love with herself, vain; *n. m.* lover
**enamorarse (de)** fall in love (with)
**enano** *m.* dwarf
**encajar** fit, draw
**encaminarse** direct oneself, go
**encantador, –ora** enchanting
**encanto** *m.* enchantment, charm
**encararse con** face, look directly at
**encargarse de** take it upon oneself to
**encender** kindle, incite
**encerrar** enclose, shut up, immure; contain
**encima** above; **por — de** above
**encontrar** meet, find; **—se** find oneself, be
**encuentro** *m.* meeting, luck; **a tu —**, to meet you; **salir al —**, come up to, rush at
**endeble** weak
**endulzar** sweeten
**Enero** *m.* January
**enfermo, –a** sick; *n.* invalid
**engañar** deceive; **—se** be mistaken
**engaño** *m.* deceit, trickery, lie
**engreído, –a** made proud, vain
**enlazar** link
**enojo** *m.* anger
**enrojecer** redden
**ensanchar** widen
**ensayo** *m.* trial, attempt

VOCABULARY

85

enseñar teach
ensueño m. dream, illusion
entender understand
enteramente entirely
enterarse de find out about; become aware of
enternecer touch, move
enternecido, –a touched, moved
entero, –a entire, whole, all
entiendo see entender
entonación f. intonation
entonces then, in that case, at that time; por —, at that time; de aquel —, of that time
entrada f. entrance, entry
entrañas f. pl. entrails, heart
entrar (en) enter
entre among, between, amidst, in; por —, amidst
entremés m. interlude (a farcical sketch formerly played between the acts of a drama)
entretener entertain
entretenimiento m. entertainment; de —, amusing
entrevista f. interview
entusiasmo m. enthusiasm
envolver involve, envelop, enfold
envuelve see envolver
época f. epoch
equilibrado, –a well-balanced
equilibrio m. equilibrium, balance, sobriety
equipaje m. baggage
eres see ser
erguido, –a erect
ermita f. hermitage
errar wander
escala f. scale, degree

escalera f. staircase
escapar escape
escaso, –a scarce, short, bare, small
escena f. scene, stage
esclavizar enslave
escocés, –a Scotch; n. m. Scotchman
escoger choose
esconder hide; —se hide
escondido, –a retired
escribir write
escrito, –a written
escritor m. writer
escuchar listen (to), hear
escudo m. shield, escutcheon
escupir spit, blurt out
ese, esa that
ése, ésa that one
esencia f. essence
esencialmente essentially
esforzarse (por) strive to
esfuerzo m. effort
eso that, it
espacio m. space
espada f. sword
espalda f. shoulder; a —s de behind the back of
espanto m. fear, terror; ¡ qué —! how terrible!
España f. Spain
español, –a Spanish; n. m. Spaniard, Spanish
especial special
espectador m. spectator
espejo m. mirror
esperanza f. hope
esperar wait, wait for, hope, expect; — a que wait until
espesura f. thickness, depths
espina f. thorn
espíritu m. spirit

**espiritual** spiritual

**espléndido, –a** splendid

**espontáneo, –a** spontaneous, quick, ready

**esposa** *f.* wife

**esposo** *m.* husband

**estancia** *f.* room

**estar** be, consist

**este, esta** this

**éste, ésta** this one, this, the latter

**estético, –a** esthetic

**estilo** *m.* style, manner, way; **por cualquier —,** in any way

**estirpe** *f.* race, blood, lineage

**esto** this

**estocada** *f.* thrust, stab

**estoy** *see* **estar**

**estrado** *m.* drawing-room; **sala de —,** drawing-room

**estrechar** press, clasp; **—se las manos** clasp hands

**estrella** *f.* star

**estremecerse** tremble

**estrenar** put on the stage for the first time

**estribar** depend

**estrofa** *f.* strophe, stanza

**estudiante** *m.* student

**estudiar** study

**estudio** *m.* study, studio

**estupendo, –a** stupendous, wonderful, grandiose

**estuviera** *see* **estar**

**eternamente** eternally, for ever

**eterno, –a** eternal

**europeo, –a** European

**evidentemente** evidently

**evitar** avoid, prevent

**evolución** *f.* evolution

**exactitud** *f.* exactness

**exageración** *f.* exaggeration

**exaltación** *f.* exaltation, excitement

**exaltado, –a** exalted

**excelente** excellent

**excitar** excite; **—se** become excited

**exclamar** exclaim

**exclusivamente** exclusively

**excusar** excuse

**éxito** *m.* success

**explicar** explain; **no me lo explico** I don't understand it

**expresión** *f.* expression

**expresivo, –a** expressive

**extender** extend

**extensión** *f.* extent, scope

**externo, –a** external

**extranjero** *m.* foreigner, stranger; *adj.* foreign; **en el —,** abroad

**extraño, –a** strange, foreign

**extraordinario, –a** extraordinary

**extravagancia** *f.* extravagance, absurdity

**extraviarse** lose one's way, go astray

**extremo, –a** extreme; *n. m.* extreme

# F

**fácil** easy

**facilidad** *f.* facility, ease

**fácilmente** easily

**falda** *f.* skirt

**faldilla** *f.* skirt, little skirt

**falso, –a** false

**falta** *f.* lack, deficiency

**faltar** be lacking

**fama** *f.* fame, rumor; **es —, it** is rumored, it is said

**familia** *f.* family

**famoso, -a** famous, well-known; *n.* famous one

**fantaseador, -ora** imaginative, fanciful; madcap

**fantasía** *f.* fancy, imagination

**fantasma** *m.* phantasm; effigy

**farsa** *f.* farce

**farsante** *m.* deceiver, humbug

**fascinar** fascinate

**fastuosidad** *f.* display

**fecundo, -a** fruitful

**fecha** *f.* date

**feliz** happy

**feo, -a** ugly

**ficción** *f.* fiction, pretense

**fiebre** *f.* fever

**fiel** faithful

**fiesta** *f.* feast, celebration, holiday; **de —,** celebrating

**figurarse** imagine, seem

**fijo, -a** fixed

**filosofía** *f.* philosophy

**fin** *m.* end; **al —,** at last

**fingir** pretend; **—se** pretend to be

**fino, -a** fine, elegant, delicate

**finura** *f.* courtesy, elegance of manner

**firmar** sign

**fisonomía** *f.* physiognomy, profile, character

**flor** *f.* flower; trick; compliment; *see* **dar**

**florido, -a** flourishing, prosperous

**flotar** float

**fogoso, -a** fiery

**fondo** *m.* bottom, depth, rear, background; **en el —,** beneath, below, at bottom; **a**

**—, thoroughly; sin —,** bottomless

**fonético, -a** phonetic

**forjar** forge, form, imagine; **—se** imagine

**forma** *f.* form

**formar** form, make

**foro** *m.* back

**fortuna** *f.* fortune, chance, luck

**forzoso, -a** necessary

**fotográfico, -a** photographic

**frac** *m.* dress-coat

**fraile** *m.* monk

**francamente** frankly

**francés -a** French; *n. m.* Frenchman

**franco, -a** frank

**frecuentar** frequent

**frente** *f.* forehead, brow; **— a —,** face to face; **de —,** in front, opposite, face to face

**fresco, -a** fresh, cool

**frescura** *f.* freshness

**frío** *m.* cold

**frondas** *f. pl.* foliage

**frondoso, -a** leafy

**frotar** rub

**fué, fuera** *see* **ir** *and* **ser**

**fuera** outside; **— de** beside, except, except for, outside of

**fuerte** strong, stout

**fuerza** *f.* force, strength

**fuese** *see* **ir** *and* **ser**

**fuga** *f.* flight

**fuí, fuiste, fué** *see* **ir** *and* **ser**

**fundar** found

**futuro** *m.* future

# G

**galeote** *m.* galley-slave

**ganar** gain

**gastar** spend

**gatas: a —,** on all fours

**generalmente** generally

**género** *m.* kind, genre; **— chico** *see note to Introduction*

**generosidad** *f.* generosity, forgiveness

**generoso, –a** generous

**genio** *m.* nature, temper

**gente** *f.* people; *pl.* people

**gentil** graceful, elegant, noble

**genuinamente** genuinely

**genuino, –a** genuine

**geografía** *f.* geography

**germen** *m.* germ

**gesto** *m.* gesture, face

**giro** *m.* turn of phrasing

**gloria** *f.* glory, bliss

**glorioso, –a** glorious, famous

**Gonzalito** *dim. of* **Gonzalo** *man's given name*

**gordo, –a** fat, large

**gozar (de)** enjoy

**gozoso, –a** joyful

**gracia** *f.* grace, favor; charm, humor; *pl.* thanks; **—s a que** thanks to the fact that

**graciosamente** charmingly, graciously

**gracioso, –a** gracious, pleasant; odd; humorous, charming

**grado** *m.* pleasure, degree; **de buen —,** willingly

**gran, grande** great, large

**grande** *m.* grandee

**grandemente** nobly

**grandeza** *f.* grandeur, splendor; magnanimity

**grandísimo, –a** great, big

**gratitud** *f.* gratitude

**grato, –a** pleasing

**gravedad** *f.* seriousness

**gritar** shout, cry, cry out

**grito** *m.* cry, exclamation

**Guadalquivir** *m. a large river which passes through Seville*

**guarda** *m.* guard, keeper

**guardar** keep

**guiar** guide

**gustar** please, like; will; relish

**gusto** *m.* taste, pleasure, liking

## H

**haber** have; **hay** there is, there are; **bien haya** blessed be; **mal haya** cursed be; **noches ha** some nights ago; **— de** must, am to, are to, have to, shall, will, should; **han de contar** they will relate, are to be told

**habilidad** *f.* skill

**habitación** *f.* room

**habitual** common

**habla** *f.* speech

**hablar** speak, talk, talk over

**hacer** make, do; **— caso** pay attention, mind; **— compañía** keep company; **— falta** be necessary, be needed; **— frío** be cold; **—se** make oneself, become; **¿ me conoces hace mucho tiempo ?** have you known me for a long time? **¿ cuánto tiempo hace ?** how long has it been? **hace treinta años** thirty years ago

**hacia** toward

**hacienda** *f.* land, property, wealth

**hago** *see* **hacer**

**halago** *m.* flattery, cajolery

**hallar** find

**harto, -a** satiated; **— de** sick of

**has** *see* **haber**

**hasta** until, up to, as far as, to; even; **— aquí** till now; **— que** until

**hay, haya** *see* **haber**

**hazaña** *f.* deed

**he** *see* **haber**

**hecho** *m.* fact; **de —,** in fact

**hecho** *see* **hacer**

**herir** wound

**hermana** *f.* sister

**hermandad** *f.* brotherhood

**hermanito** *m. dim. of* **hermano** little brother

**hermano** *m.* brother

**hermoso, -a** beautiful; *n.* beautiful one

**hermosura** *f.* beauty

**héroe** *m.* hero

**heroico, -a** heroic

**hice** *see* **hacer**

**hidalgo** *m.* squire, nobleman

**hielo** *m.* ice, coldness

**hija** *f.* daughter

**hijo** *m.* son; *pl.* children

**historia** *f.* history, story

**históricamente** historically

**hizo** *see* **hacer**

**hogar** *m.* hearth, fireside

**hoja** *f.* leaf

**holandés, -esa** Dutch

**hombre** *m.* man; **los —s** men, mankind

**hombro** *m.* shoulder

**honradez** *f.* probity

**honrado, -a** honest

**hora** *f.* hour; **en buen —,** at a lucky moment; **las más de las —s** most of the time

**hormiga** *f.* ant

**hormiguero** *m.* ant-hill

**hospedaje** *m.* lodging

**hospedarse** lodge

**hoy** to-day, now

**huella** *f.* track, footstep

**hueso** *m.* bone

**huésped** *m.* guest, boarder; **casa de —es** boarding house

**huír** flee

**humano, -a** human

**humildad** *f.* humility; **con —,** humbly

**humilde** humble

**humildemente** humbly

**humorismo** *m.* humorism

**husmear** scent

**huye** *see* **huír**

# I

**idealidad** *f.* ideality

**idealista** idealistic

**idéntico, -a** identical

**identidad** *f.* identity

**igual** equal, the same; steady; **— que** the same as

**igualmente** equally

**ilusión** *f.* illusion

**imagen** *f.* image

**imaginación** *f.* imagination; *pl.* fancies

**imaginar** imagine, invent, think up, plan

**imitación** *f.* imitation

**imitado, -a** imitated

**impacientar** render impatient

**impedir** prevent

**impenetrable** obscure, impenetrable

**imperfecto** *m.* imperfect

**impidieron** *see* **impedir**

implacable implacable, relentless

importancia f. importance

importar import, concern, matter; el —te its importance to you

imposible impossible; n. m. impossibility

impresión f. impression

impreso, –a printed

improviso, –a unexpected; de —, unexpectedly, suddenly

impulso m. impulse

inagotable inexhaustible

incendiar set on fire

inclinado, –a inclined

inclinar bend

inconfundible unmistakable, distinct

inconsciencia f. unconsciousness

increado, –a self-existent

incurrir (en) incur

Indias f. pl. Indies; also stands for any region of fabulous wealth

indicar indicate, motion

infantil childish

infeliz unhappy; n. poor unfortunate

infidelidad f. infidelity

infierno m. hell, infernal region

infinito, –a infinite

influencia f. influence

infundir infuse, instil, inspire

ingenioso, –a ingenious

ingenuidad f. ingenuousness

ingenuo, –a innocent

inglés, –esa English

iniciación f. introduction

iniciar initiate, begin

inmediaciones f. pl. outskirts, neighborhood

inmenso, –a immense

inmortalidad f. immortality

inmovilidad f. immobility, fixedness

inocente innocent

inquietísimo, –a very uneasy

inquieto, –a restless, active, vivacious

inquietud f. inquietude, anxiety

insensato, –a mad, senseless

insignificancia f. insignificance

insignificante insignificant

insomnio m. sleeplessness

insondable unfathomable

inspirar inspire

instante m. instant, moment; al —, at once

instrumento m. instrument

inteligible intelligible

intenso, –a intense

interés m. interest

interesar interest

interno, –a internal; lo —, the internal

interrogativo, –a interrogative

intervención f. intervention

intraducible untranslatable

introducir introduce

inútil useless

invento m. invention, fiction

invierno m. winter

ir go, be; — con suit, harmonize with; vaya goodness me; vaya por Dios heavens; —se go away, go off, go; vamos let us go, let us come, come, indeed; va para quince años it's going on fifteen years

ira f. anger

ironía *f.* irony
Italia *f.* Italy
Itálica *city in Spain; see note to page* 25, *line* 9
izquierda *f.* left hand, left

# J

ja ha
jamás never
jardín *m.* garden
jazmín *m.* jasmine
¡ Jesús ! *in exclamations* good heavens!
joven young
joya *f.* jewel
jugar (a) play
juntar join; —se come together
junto, –a together; — a near
jurar swear
justicia *f.* justice, law
juventud *f.* youth
juzgar judge, hold

# L

labio *m.* lip
laborar make, prepare
labrar work, plow
lado *m.* side; al — de in comparison with, beside
lagarto *m.* lizard
lágrima *f.* tear
lamentarse complain
lamento *m.* lament
lámpara *f.* lamp
lanzar throw, cast, drive
largo, –a long
largueza *f.* generosity, liberality
lazo *m.* noose, knot, bond

Leandro Leander
lectura *f.* reading
leer read
legua *f.* league
lejano, –a distant; remote, past
lejos far, far off, in the distance; a lo —, far off
lengua *f.* tongue; language
lenguaje *m.* language
lentamente slowly
lente *f.* lens
letrero *m.* sign
levantar erect, build; —se rise, get up
ley *f.* law; de buena —, genuine
leyenda *f.* legend
librar free
libre free
libremente freely
libro *m.* book
ligero, –a light, slight
limitar limit
limosna *f.* alms, offering; gift
limosnero, –a charitable, alms-giving
limpio, –a clean; lo —, the spotlessness
lindo, –a pretty, beautiful
línea *f.* line
lirismo *m.* lyricism
literario, –a literary
lo que what, which, that, as much as; por —, why, that, according to what
lobo *m.* wolf
localismo *m.* localism
locamente madly
loco, –a mad, hare-brained; *n. m.* lunatic, madcap
locura *f.* madness

lograr succeed in, attain

Lope *see* Vega, Lope de

luego then, immediately

lugar *m.* place

Luis Louis

lujoso, –a rich, magnificent

luminosidad *f.* luminousness, brightness

luminoso, –a luminous, radiant

luna *f.* moon

luz *f.* light

## Ll

llama *f.* flame

llamar call; — de address as; —se be called, be named, call oneself

llanto *m.* weeping

llegada *f.* arrival

llegar (a) arrive, come up, go up; reach, go as far as; —se a join

llenar fill

lleno, –a full; de —, entirely

llevar carry, lead, pass, take, bear; spend; — gran prisa be in great haste; — adelante carry out, execute; —se carry away

llorar weep

## M

Macarena *see note to page* 20, *line* 2

madre *f.* mother; ¡ Madre mía ! good heavens !

madrileño, –a of Madrid

maestro, –a masterly; obra —a masterpiece

mal badly, poorly; *n. m.* evil

malhumorado, –a bad-humored; *n. m.* ill-humored person

malo, –a bad, evil

malvaloca *f.* wild mallow

manantial *m.* spring, source

mandar command, order; send

mandato *m.* mandate, command

manejar handle, manage

manera *f.* manner; de tal —, in such a way, to such a degree; — de ser character, temperament

manga *f.* sleeve

maniático, –a mad ; whimsical

manifestación *f.* manifestation, expression

manifestar manifest

mano *f.* hand

manojo *m.* bouquet

mantener maintain

mantilla *f.* mantilla, veil, lace shawl

mañana *f.* morning ; to-morrow

Mañara *see note to page* 25, *lines* 13–14

mar *m. or f.* sea

maravilla *f.* marvel

maravilloso, –a marvelous

marco *m.* frame

marcha *f.* course, walk; detener su —, stop

marcharse go away

margen *f.* margin, edge; shore, bank

marido *m.* husband

Marina *see note to page* 15, *line* 5

mariposa *f.* butterfly

Mariuca *nickname for* María

Marquina, Eduardo (1879–)

*contemporary dramatist, chief exponent of the historical drama in verse, author of " En Flandes se ha puesto el sol "*

**martillear** hammer, pound, throb

**Marzo** *m.* March

**más** more, most, rather; **no ... —** **que** no more than, only, nothing but; **nada —** **que** no more than, only; **jamás ... —** **que** never ... except; **¡qué canción — linda!** what a beautiful song! **— bien** rather; **las —,** the majority

**matar** kill

**matizado, –a** shaded, toned

**Mayo** *m.* May

**mayor** greater, greatest; elder, oldest; highest

**mecánico, –a** mechanical

**medio, –a** half; **a —a voz** in a low voice; *n. m.* middle; **en — de** between

**meditar** meditate

**mejor** better, best

**melancolía** *f.* melancholy

**melancólico, –a** melancholy

**melodía** *f.* melody

**memoria** *f.* memory, remembrance

**mendigo** *m.* beggar

**menina** *f.* lady-in-waiting; **las Meninas** *name usually given to one of Velázquez' best known paintings*

**menor** less, lesser, least; lower

**menos** less, least; **poco — que** practically; **lo —,** the least thing

**mentir** lie

**mentira** *f.* lie

**menudo: a —,** often

**merecer** deserve, be worthy of; **—se** be fitting, proper

**merezca** *see* **merecer**

**mes** *m.* month

**mesonera** *f.* innkeeper, innkeeper's wife

**mesurado, –a** temperate

**meter** put

**mezcla** *f.* mixture, compound

**mí** me; **por —,** for my part, as far as I am concerned

**miedo** *m.* fear

**miente** *see* **mentir**

**mientras** while, as long as

**Miguel** Michael; **— de Mañara** *see note to page 25, lines 13–14*

**mil** thousand

**milagro** *m.* miracle

**mimado, –a** petted, spoiled

**mirada** *f.* glance, look

**mirar** look, look at, consider

**miseria** *f.* poverty

**mismo, –a** same, own, itself, very; **yo —,** I myself; **ahora —,** right now; **lo —,** the same thing; **por lo —,** for that very reason

**misterio** *m.* mystery

**misterioso, –a** mysterious

**mitad** *f.* half

**mocetón** *m.* sturdy young man

**moda** *f.* fashion

**modalidad** *f.* form, aspect

**modelo** *m.* model

**modernidad** *f.* modernism

**moderno, –a** modern

**modestia** *f.* modesty; **con —,** modestly

**modo** *m.* manner, way; **de ese —,** thus; **de qué —,** how much; **de tal —,** in such a way; **a su —,** in its way; **de — que** in such a way that

**momento** *m.* moment; **al —,** at once

**moneda** *f.* coin, money

**monja** *f.* nun

**monte** *m.* mountain

**morir** die

**mover** move, start; cause

**moza** *f.* girl, maiden

**mozo** *m.* young man

**muchacha** *f.* girl

**muchachita** *f. dim. of* **muchacha** little girl

**mucho, –a** much, too much; *pl.* many; *adv.* much, very; **no es —,** it is only natural

**mueble** *m.* piece of furniture; *pl.* furniture

**muere** *see* **morir**

**muerte** *f.* death

**muerto, –a** dead

**mujer** *f.* woman, wife

**multitud** *f.* multitude

**mundo** *m.* world; **todo el —,** every one, the whole world

**Murillo** *see note to page* 25, *line* 22

**muro** *m.* wall

**música** *f.* music

**músico** *m.* musician

**mutilado, –a** mutilated

**muy** very, much, well

## N

**nacer** be born, rise, spring up

**nacional** national

**nada** nothing, anything, it's no use, not at all, at all; **— más que** no more than, only

**nadar** swim

**nadie** no one, anyone

**Nápoles** *f.* Naples

**naturaleza** *f.* nature

**naturalmente** naturally

**náufrago** *m.* shipwrecked man

**necesidad** *f.* necessity

**necesitar** need

**negar** deny

**negativo, –a** negative

**negro, –a** black

**ni** neither, nor, not even, even, either, or

**nido** *m.* nest

**nietecillo** *m. dim. of* **nieto** little grandson

**nieto** *m.* grandson: *pl.* grandchildren

**nieve** *f.* snow

**ningún, ninguno, –a** none, no, any; no one, anyone

**niña** *f.* little girl

**niñez** *f.* childhood

**niño, –a** young; *n.* child; **desde —,** ever since childhood; **de —,** as a child

**nivel** *m.* level

**no** no, not; **— obstante** notwithstanding

**noble** noble; *n. m.* nobleman

**noche** *f.* night; **esta —,** tonight; **buenas —s** good evening, good night; **una — y otra** night after night

**nombrar** name, call

**nombre** *m.* name

**norabuena = en hora buena** with good fortune

**norte** *m.* north

**nostalgia** *f.* homesickness, yearning, regret

**novela** *f.* novel, fiction

**novelesco, –a** romantic

**novia** *f.* sweetheart

**novio** *m.* sweetheart

**novísimo, –a** newest

**nube** *f.* cloud

**nuestro, –a** our

**nuevamente** again

**nuevo, –a** new

**numeroso, –a** numerous

**nunca** never, ever; **como —,** as never before

## O

**o** or; **— sea** that is to say

**objeto** *m.* object

**obligar** oblige; **—se** be compelled, obligate oneself

**obligue** *see* **obligar**

**obra** *f.* work

**obrita** *f. dim. of* **obra** little work

**observación** *f.* observation

**observar** observe

**obstante** *see* **no**

**ocasión** *f.* occasion; **con — de** on the occasion of

**ocuparse de** be concerned with

**ocurrencia** *f.* idea

**ocurrir** occur, happen

**ocho** eight; **— días** a week

**oda** *f.* ode, poem, song

**odiar** hate

**odio** *m.* hate

**ofrecer** offer

**ofrenda** *f.* offering, gift

**oído** *m.* hearing; **prestar —,** listen

**oigo** *see* **oír**

**oír** hear, listen (to); **—se** be heard

**ojalá** would that, heaven grant that

**ojito** *m. dim. of* **ojo** little eye

**ojiva** *f.* ogive, arch, arched window

**ojo** *m.* eye

**olvidar** forget

**olvido** *m.* oblivion

**onda** *f.* wave

**optimista** optimistic

**oración** *f.* prayer, sentence

**ordenar** order

**ordinario, –a** ordinary

**órgano** *m.* organ

**orgullo** *m.* pride

**oriente** *m.* east; guide, direction

**origen** *m.* origin

**originalidad** *f.* originality

**orilla** *f.* bank

**oro** *m.* gold

**oscuridad** *f.* obscurity, darkness

**otro, –a** other, another

**oye** *see* **oír**

## P

**padecer** suffer

**padre** *m.* father, priest; *pl.* parents

**pagar** pay, pay for, repay

**pague** *see* **pagar**

**paisaje** *m.* landscape

**pajarito** *m. dim. of* **pájaro** little bird

**pájaro** *m.* bird

**palabra** *f.* word

**palacio** *m.* palace

**panegirista** *m.* eulogist

**par** *m.* couple

**para** for, to, in, in order to;
— **qué** why, what for; —
**que** in order that; — **cuando**
until

**paraje** *m.* place, spot

**paralelamente** in parallel

**parar** stop; — **en** finally become, end up as

**parecer** seem, appear; —**se**
resemble each other, be
similar; **al** —, apparently

**pared** *f.* wall

**pariente** *m.* relative, ancestor

**parque** *m.* park

**parte** *f.* part, place; **de algún
tiempo a esta** —, for some
time; **por todas** —**s** every-
where; **mayor** —, majority

**particular** particular, odd,
strange

**particularidad** *f.* peculiarity

**partir: a** — **de** since

**pasado,** –**a** past; **lo** —, what
passed; *see* **día**; *n. m.* past

**pasajero,** –**a** passing

**pasar** pass, enter; suffer; **¿ qué
le pasa?** what is the matter
with you? — **por** pass over

**pasear** walk; —**se** walk
about, promenade

**paseo** *m.* walk

**pasión** *f.* passion

**pasmarote** *m.* dunce

**paso** *m.* step; *a very short farcical sketch;* **al** —, casually;
**salir al** —, meet casually,
occur

**patio** *m.* inner court, yard

**patológico,** –**a** pathological,
abnormal

**patrimonio** *m.* inheritance

**patrón** *m.* landlord

**pausa** *f.* pause

**pecadillo** *m. dim. of* **pecado**
peccadillo, sin, slip

**pecado** *m.* sin

**pecho** *m.* breast

**pedagógico,** –**a** pedagogical

**pedir** ask, demand, beg

**peligro** *m.* danger

**pena** *f.* grief; **¡ qué** —**!** what
a pity !

**penetrar** penetrate

**península** *f.* peninsula, Spanish Peninsula

**pensar** think, think about, in-
tend

**perder** lose; —**se** get lost

**pérdida** *f.* loss

**perdón** *m.* pardon

**perdonar** pardon

**perduración** *f.* endurance

**perezosamente** idly, slowly

**perfección** *f.* perfection; **a** —,
perfectly

**perfecto,** –**a** perfect

**perfil** *m.* profile; **de** —, from
the side, sideways, profile
view

**perfilarse** dress elegantly, dress
up

**perfumado,** –**a** perfumed, fra-
grant, balmy

**perfumar** perfume

**permiso** *m.* permission, leave

**permitir** permit

**pero** but

**persona** *f.* person; **enamorada
de su** —, in love with herself, vain

**personaje** *m.* character

**personalidad** *f.* personality

**perturbar** inconvenience

**pesadilla** *f.* nightmare

**pesar** weigh, weigh upon, bother

**pesar** *m.* sorrow, grief; **a —— de** in spite of

**pescador** *m.* fisherman

**pescadora** *f.* fisher-girl

**pescadorcita** *f. dim. of* **pescadora** little fisher-girl

**peso** *m.* weight; **a —— de oro** for its weight in gold

**piar** chirp

**picardía** *f.* mischief

**pidas** *see* **pedir**

**pie** *m.* foot

**piedad** *f.* pity

**piedra** *f.* stone, rock

**pienso** *see* **pensar**

**pieza** *f.* play

**pincelada** *f.* stroke, line; **a grandes ——s** briefly

**pintar** paint, depict, describe, represent

**pintoresco, —a** picturesque

**pintura** *f.* painting

**placer** *m.* pleasure

**plática** *f.* talk, address, sermon

**plaza** *f.* place, square

**pleitesía** *f.* homage, respect

**plenitud** *f.* plenitude

**pleno, —a** full

**pobre** poor; poor person

**pobrecita** *f. dim. of* **pobre** poor thing

**poco, —a** little; *pl.* few; *adv.* little, a little; **—— menos que** almost; **a ——,** in a little while

**poder** be able, can, may; *n. m.* power

**poderoso, —a** powerful

**poema** *m.* poem

**poesía** *f.* poetry

**poeta** *m.* poet

**poético, —a** poetic

**pompa** *f.* pomp, solemnity

**ponderar** exaggerate; exalt, praise

**poner** put, place; **—— empeño en** take pains to; **——se** place oneself, set

**popularidad** *f.* popularity

**por** through, for, for the sake of, according to, on account of, because, because of, as, in, to, with, by, about, over; **—— aquí** about here, this way; **—— aquí adelante** this way on; **—— allí** around there, that way; **—— eso** on that account; **—— que** in order that, that, provided that; **¿—— qué?** why? **—— muy diferente que** however different; **—— una parte** on one hand; **—— mí** for my part

**pormenor** *m.* detail

**porque** because

**portugués** *m.* Portuguese

**posarse** rest, settle

**posible** possible

**posterior** later

**preceptor** *m.* preceptor, tutor

**precioso, —a** precious

**preciso, —a** necessary; *see* **si**

**predicar** preach

**predilección** *f.* preference

**preferir** prefer

**prefiero** *see* **preferir**

**pregunta** *f.* question

**preguntar** ask, inquire

**prejuicio** *m.* prejudice

**preocupado, —a** preoccupied

**presencia** *f.* presence

**presente** *m.* present

**prestar** lend; **——se lend one-**

self; — **a** be fit for, adapted to; — **oído** listen

**presumir** conjecture, guess, think, suppose; know

**primavera** *f.* spring, springtime

**primer, primero,** –**a** first; **lo** —**o** the first thing

**primor** *m.* excellent quality, beauty

**princesa** *f.* princess

**príncipe** *m.* prince

**principio** *m.* beginning; **a** —**s de** toward the beginning of

**prisa** *f.* haste; **llevar** —, be in a hurry

**privilegiado,** –**a** privileged

**privilegio** *m.* privilege

**probabilidad** *f.* probability

**probablemente** probably

**problema** *m.* problem

**prodigio** *m.* prodigy

**producción** *f.* production

**producir** produce

**profesión** *f.* profession

**profundamente** profoundly

**profundidad** *f.* profundity

**profundo,** –**a** profound, deep

**prolongar** prolong

**prometer** promise

**pronto,** –**a** ready; *adv.* soon, quickly

**pronunciación** *f.* pronunciation

**propalar** publish, broadcast

**propiedad** *f.* propriety

**propio,** –**a** proper, own, very, mere, self, of its own, of their own; — **de** peculiar to; — **elogio** self-praise

**protagonista** *m.* protagonist

**publicar** publish

**público,** –**a** public; *n. m.* public, audience

**pudrir** rot

**puebla** *f.* town

**pueblo** *m.* town, place, people

**puede** *see* **poder**

**pueril** childish

**puerilidad** *f.* childishness

**puerta** *f.* door, gate

**pues** well, then, well then, why; — **bien** well then; — **sí** why yes; *conj.* since, because

**punto** *m.* point, moment; **a** — **de** on the point of, about to

**purgatorio** *m.* purgatory

**puro,** –**a** pure; **lo** —, the purity

**pusieron** *see* **poner**

## Q

**que** who, that, which, whom, for, the fact that, than, as

**qué** how, what, what a; **a** —, for what, why; **¿y** —? what about it?

**quedar(se)** remain, be left

**queja** *f.* complaint

**quejarse** complain

**quejumbroso,** –**a** plaintive

**quemar** burn

**querer** wish, will; like, love; be on the point of; **por donde quiera** anywhere

**quien** one who, whoever; the one who, whom; **con** — **fuera** with anybody at all; **eres** — **eres** you are what you are; **hay** — **cree** there are some who believe

**quién** who, whom; one who; *with* –**ra** *subj.* if only I, would that I

**quiera, quiero** *see* **querer**

quimera *f.* vision, ideal, fancy

quince fifteen

quinta *f.* villa, cottage

Quiñones de Benavente, Luis (*d.* 1679) *famous author of "entremeses"*

quisiera *see* querer

quitar take away; —se take off, take away, remove

quizá, quizás perhaps

## R

rabia *f.* rage, anger; con — de sí mismo angry with himself

raíz *f.* root

rama *f.* branch

ramo *m.* cluster, bouquet

Ramón Raymond

rareza *f.* oddity

raro, –a rare, strange

rascatripas *m.* fiddler (*lit.* catgut scraper)

rasgo *m.* feature, trait

rato *m.* moment; a —s at times

raudal *m.* torrent

razón *f.* reason

reacción *f.* reaction

real real, actual, royal; camino —, highway

realidad *f.* reality

realismo *m.* realism

realista realistic; *n. m.* realist

realizar realize

realmente really

recatadamente secretly

receloso, –a apprehensive, anxious

recibir receive

recinto *m.* enclosure, place

récipe *m.* recipe, prescription

recitar recite

recoger catch, gather, get

reconocer recognize

recordar recollect, remember, recall

recrearse take pleasure, enjoy; — en enjoy the sight of, admire

recreo *m.* pleasure, amusement; quinta de —, summer house

recto, –a straight, direct

recuerdo *m.* recollection, reminiscence

rechinar squeak, grate

referir refer, relate

refinado, –a refined

refinamiento *m.* refinement

reflejar reflect

reflejo *m.* reflection

refrán *m.* proverb

regalar present, bestow on

regalo *m.* gift

regateo *m.* haggling

regularidad *f.* regularity

rehacerse collect oneself, recover one's self-possession

reír (se) laugh (de at)

reja *f.* window-grating

relato *m.* narration

rendido, –a overcome, tired out

rendir render, pay; overcome

renombre *m.* renown, fame

renovar renew

renunciar (a) renounce, give up, abandon

reñir quarrel

reparar notice, observe

repartir divide, share

reparto *m.* cast

repetir repeat

**repleto, –a** full; **lo —,** the fullness

**reposar** rest

**representar** play

**reproducir** reproduce

**rescoldo** *m.* embers

**respetable** respectable

**respetar** respect; spare

**respetuosamente** respectfully

**respirar** breathe

**resplandor** *m.* splendor

**responder** answer

**respuesta** *f.* answer

**resto** *m.* rest, remainder

**resucitar** revive

**resueltamente** resolutely

**resultar** turn out, happen

**retener** retain

**retirar** retire, withdraw, draw back

**retocarse** touch oneself up; smooth one's clothing, hair, etc.

**retrato** *m.* portrait

**revelación** *f.* revelation

**revelar** reveal

**revolotear** flutter

**revuelo** *m.* disturbance, uproar, excitement

**rey** *m.* king

**rico, –a** rich; *n. m.* rich man

**ridículo, –a** ridiculous

**ríe** *see* **reír**

**riente** smiling

**rincón** *m.* corner, out-of-the-way place

**rinda** *see* **rendir**

**río** *m.* river

**riqueza** *f.* riches

**risa** *f.* laugh, laughter

**risueño, –a** smiling

**robar** steal, seize; kidnap, carry off

**rodar** roll, wander

**rogar** beg, entreat

**Romanticismo** *m.* period of Romanticism (*about* 1830–1850)

**romántico, –a** romantic

**romería** *f.* pilgrimage, excursion

**romper** break, burst, burst forth

**rondar** roam, walk about, haunt, hover about

**ropa** *f.* clothing, garment

**rosa** *f.* rose

**Rosaura** *woman's given name*

**rostro** *m.* face

**roto, –a** broken, tumble-down

**rudo, –a** rough

**Rueda, Lope de** (1500–1565) *actor and dramatic author best known for his short comic sketches called " pasos "*

**ruidoso, –a** noisy, tumultuous

**rumbo** *m.* direction, quarter; pomp, ostentation, display

**rumor** *m.* noise, murmur

**ruso, –a** Russian

## S

**saber** know, learn; know how, be able; please; understand; **— de** know of, hear from; **—se** be known

**sabio, –a** wise

**sabor** *m.* savor

**saborear** taste, relish, enjoy

**sacar** draw out, take out; *see* **sol**

**sainete** *m.* sainete (*a one-act play, merry and realistic*) sainetero *m.* writer of sainetes

sala *f.* room

saldrá, salga *see* salir

saliente salient

salir go out, leave, come out, appear; *see* encuentro, paso

salita *f. dim. of* sala little room, small room

saltar jump, leap

salud *f.* health

saludable healthful

saludar salute, bow to

salvaje wild, savage

salvar save

Sancho Panza *Don Quijote's squire in Cervantes' novel*

sangre *f.* blood

sano, –a healthy

santa *m.* saint

santamente in a holy manner

satisfacer satisfy

sé *see* saber

sea *see* ser; o —, that is to say

seco, –a dry

secreto *m.* secret

sed *f.* thirst

seducir tempt; please; *see* dejar

seguida *f.* succession; en —, at the very start, at once, immediately

seguir follow, continue; sigue que te sigue everlastingly after

según according, according to, according as, as, according to the way

segundo, –a second

seguramente surely

seguridad *f.* surety

seguro, –a secure, sure, certain, safe; a buen — que most certainly, without any doubt

sembrar sow

semejanza *f.* resemblance

semilla *f.* seed

sencillamente simply

sencillo, –a simple, unaffected

senda *f.* path

sensación *f.* sensation

sentar seat; —se sit down, be seated

sentido *m.* sense, meaning

sentimentalismo *m.* sentimentalism

sentimiento *m.* sentiment, feeling

sentir perceive, hear, feel; be sorry

señalar point at, indicate

señor *m.* sir, gentleman, Mr., lord, master; — mío my good sir; estos —es these people; buen —, worthy man; ¡ Señor ! Lord! good heavens!

señora *f.* madam, lady

señorita *f.* Miss, young lady

señorón *m. aug. of* señor lord; *pl.* lordly folk, magnates

sepa *see* saber

separarse separate

sepulcro *m.* tomb

ser *m.* being, person

ser be, exist; sea quien sea, sea quien fuere be he who he may, whoever he be; — de belong to; yo soy it is I; o sea that is to say

serenata *f.* serenade

serie *f.* series

serio, –a serious; en —, seriously

servicio *m.* service

servilleta *f.* napkin

**servir** serve; be of use; — **de** serve as; — **por** be sufficient for; **para** — **a usted** at your service

**seso** *m.* brain, sense

**severo, –a** severe, plain

**Sevilla** *f.* Seville (*city of Spain*)

**sevillano, –a** Sevillian; *n.* Sevillian

**si** if, but, why; **por** —, in case, if; — **es preciso** but you must; — **es que no** unless

**sí** yes; himself, themselves, oneself, itself; — **que** certainly; **contestar que** —, answer "yes"

**siempre** always, ever

**siéntate** *see* **sentarse**

**siento** *see* **sentir**

**siete** seven

**siglo** *m.* century

**significar** signify, mean

**significativo, –a** significant

**sigo** *see* **seguir**

**sigue** *see* **seguir**

**siguiente** following

**silencio** *m.* silence

**simpatía** *f.* sympathy, liking

**simpatizar** sympathize, be congenial

**sin** without; — **voz apenas** almost without voice; — **que** without

**singular** singular; strange, odd; **lo** —, the strangeness

**sino** but, except; — **que** but; **no . . .** —, nothing but, only, not . . . except

**sintetizar** combine

**sintió** *see* **sentir**

**siquiera** at least, even

**sirve** *see* **servir**

**sitio** *m.* place, setting

**situación** *f.* situation

**sobrar** more than suffice; *see* **bastar**

**sobre** above, over and above, upon, on, over; — **que** in addition to the fact that, and besides; — **todo** especially

**sobrecoger** overwhelm, overcome

**sobresalto** *m.* dread

**sobrevivir** survive

**sol** *m.* sun; **sacar el** — **de la cabeza** drive mad

**solamente** only

**soldado** *m.* soldier

**soledad** *f.* solitude

**soler** be accustomed, be wont

**solo, –a** alone, single; only; **a solas** alone

**sólo** only; — **que** only; **tan** —, only, just

**soltar** loosen; — **la risa** *or* **carcajada** burst out laughing

**sollozo** *m.* sob

**sombra** *f.* shade, shadow

**sombrero** *m.* hat

**sonar** sound

**sonido** *m.* sound

**sonoro, –a** sonorous, high-sounding

**sonreír** smile

**soñador, –ora** dreamy, imaginative; dreamer

**soñar** dream; — **con** *or* **de** dream of

**sorprender** surprise

**sospechar (de)** suspect

**soy** *see* **ser**

**suave** mild, harmless, gentle

**subir** mount, go up, ascend

**súbito, –a** sudden
**subjuntivo** *m.* subjunctive
**sucesivo, –a** successive
**suele** *see* **soler**
**suelo** *m.* ground, soil
**suelta** *see* **soltar**
**suena** *see* **sonar**
**sueña** *see* **soñar**
**sueño** *m.* dream, sleep; **en siete —s** sound asleep
**suerte** *f.* fate, fortune
**sufrir** suffer, be pained
**sumamente** exceedingly
**suntuoso, –a** sumptuous
**superchería** *f.* trick
**superficialidad** *f.* superficiality
**superficie** *f.* surface
**superstición** *f.* superstition
**supieron** *see* **saber**
**suplicar** supplicate, entreat, beg
**supremo, –a** supreme
**sur** *m.* south
**surgir** arise, occur
**suspirar** sigh
**sutil** subtle, piercing

## T

**tal** such, such a
**tamaño** *m.* size
**también** also
**tampoco** neither, either
**tan** as, so, such; **— bueno que** so kind as to
**tanto, –a** as much, so much, so important; so much so, as well; to such an extent; **por lo —,** therefore; *pl.* as many, so many; **— ... como** as much ... as, both ... and
**tapado, –a** veiled

**taravilla** *f.* chatterbox
**tardar** delay, be late; **la noche tarda** night is a long way off
**tarde** *f.* afternoon, evening
**tarde** late
**teatro** *m.* theater
**técnica** *f.* technic
**tejer** weave
**telón** *m.* curtain
**tema** *m.* theme
**temblar** tremble
**temer** fear
**temeroso, –a** fearful
**temible** fearful, terrible
**temor** *m.* fear (**a** of)
**templado, –a** warm
**templar** temper, warm; **—se** warm oneself
**temprano** early
**tenazmente** tenaciously, fixedly
**tendencia** *f.* tendency
**tener** have, hold; **— en cuenta** bear in mind; **— a dicha** consider it happiness; **— a gloria** consider it bliss; **yo tengo para mí** I hold for my part, I believe; **— que** have to; **— prisa** be in haste; **— tantos años** be so old; **¿ qué tienes ?** what is the matter with you? **en lo que tenían de más expresivo** in its most expressive phases
**tengo** *see* **tener**
**teñir (de)** tinge (with)
**tercero, –a** third
**tercio** *m.* third
**terminar** finish
**término** *m.* end; **primer —,** foreground; **segundo —,** middle ground

ternura *f.* tenderness

terso, –a smooth

Teruel *city of Spain;* amantes de —, *see note to page* 10, *line* 5

tesoro *m.* treasure

tibio, –a warm

tiempo *m.* time; a un —, at once, at the same time; ¿ cuánto —? how long? con el —, in the course of time

tiene *see* tener

tierra *f.* earth, land; province

tieso, –a stiff, dignified

tímido, –a timid

tiniebla *f.* shadow, darkness

típicamente typically

típico, –a typical

tipo *m.* type

tirar throw, throw away, squander

titulillo *m. dim. of* título insignificant title

título *m.* title

tocar touch, play; be one's lot; toca que toca playing away

todavía still, yet, so far

todo, –a all, whole, every; everything; del —, entirely, altogether; no ... del —, not at all; sobre —, especially

tomar take, take on

tormento *m.* torment, torture, suffering

tormentoso, –a stormy

torneo *m.* tourney, contest

torpe base, unworthy

torpemente basely, unworthily

tortuoso, –a winding

torturar torture

trabajar harass

trabajo *m.* work, labor, trouble

trabajosamente with difficulty

tradición *f.* tradition

tradicional traditional

traducción *f.* translation

traducir translate

traer bring

tragedia *f.* tragedy

trágico, –a tragic; *n. f.* actress, tragic actress

traicionar betray

traigo, trajo *see* traer

trama *f.* texture

tranquilizarse be calm, become quiet

transformación *f.* transformation

tras behind

trascender exhale

trascribir transcribe

trasladarse remove

trasplantado, –a transplanted

trastornar upset, disturb

tratar treat; — de try to; —se de be a question of

través: a — de through, across

travieso, –a wild

traza *f.* appearance; por las —s apparently

treinta thirty

tremendo, –a tremendous, terrible, fearful

tres three

tribulación *f.* disturbance, perturbation

triste sad

tristeza *f.* sadness

triunfo *m.* triumph

tú thou, you

turbación *f.* perturbation, embarrassment

## U

**u** (*before* **o** *or* **ho**) or
**último, –a** last
**ultratumba** beyond the grave, beyond
**un, uno, –a** a, an, one; *pl.* some
**único, –a** unique, only; **el —**, the only one; **lo —**, the only thing
**unidad** *f.* unity
**unido, –a** united, joined
**universalidad** *f.* universality
**usado, –a** used
**usanza** *f.* usage; **a la — de** in the style of
**usar** use, wear
**Utrera** *town near Seville*

## V

**va** *see* **ir**
**vacilar** hesitate
**valer** be worth; **— por** be worth, be equal to
**valgo** *see* **valer**
**valor** *m.* value, worth
**vamos** *see* **ir**
**vanidad** *f.* vanity
**variedad** *f.* variation
**vario, –a** various, several
**vaya** *see* **ir**
**ve** *see* **ir**
**Vega, Lope de** (1562–1635) *the greatest Spanish dramatist, creator of the Spanish national drama*
**Vega, Ricardo de la** (1839–1910) *dramatist, best known as author of " La verbena de la Paloma " and many other comic and realistic plays*

**veinte** twenty
**velar** watch, veil, cover, hide, choke
**Velázquez, Diego** (1599–1660) *famous Spanish painter*
**velo** *m.* veil
**vencer** overcome
**vencido, –a** overcome
**vender** sell, betray
**vendrá** *see* **venir**
**Venecia** *f.* Venice
**veneno** *m.* poison
**venga** *see* **venir**
**venganza** *f.* vengeance
**venida** *f.* coming
**venir** come; **bien venga** welcome to him
**venta** *f.* sale; inn
**ventana** *f.* window
**ventorro** *m.* cheap inn, drinking place
**ver** see; **—se** see oneself, see each other, be seen
**verano** *m.* summer
**veras: de —**, really, truly
**veraz** truthful
**verbo** *m.* verb
**verdad** *f.* truth; **no es —**, isn't that so; **la —**, tell the truth now, really and truly; **es —**, it is true; **de —**, really; **¡ —!** right; **¿ —?** isn't that so?
**verdadero, –a** true, real
**verde** green
**vereda** *f.* path
**vergüenza** *f.* shame
**verja** *f.* grating, grated gate
**vestido** *m.* dress, garment
**vestir** dress; **—se de** dress as
**vez** *f.* time; **a la —**, at the same time, at once; **en — de in-**

stead of; **tal —**, perhaps; **otra —**, again; **rara —**, rarely

**viaje** *m.* voyage, travel, trip

**vida** *f.* life, living

**vieja** *f.* old woman

**viejo, –a** old; *n. m.* old man; **de —**, as an old man

**viene** *see* **venir**

**viento** *m.* wind

**vigilar** watch

**villano** *m.* commoner

**viniste** *see* **venir**

**vino** *m.* wine

**Virgen** *f.* Virgin (Mary); Madonna; ¡ **— mía !** good heavens!

**visión** *f.* vision

**visitar** visit

**vista** *f.* sight

**viste** *see* **vestir**

**vivamente** ardently

**viviente** living

**vivificar** vivify

**vivir** live, be alive, make a living; **— de** live by; **el —**, life, living

**vivo, –a** active

**vocación** *f.* vocation

**volar** fly

**volver** turn, return; **vuelve a mirarse** she looks at herself again; **—se** turn

**voz** *f.* voice; *see* **apenas**

**vuelo** *m.* flight; **de altos —s** lofty

**vuelve** *see* **volver**

**vulgaridad** *f.* vulgarity

## Y

**y** and

**ya** already, now, to be sure, right away, surely, I see, I tell you; **deje —**, come! leave; **— lo creo** of course, certainly; **— voy** coming; **— no** no longer; **— que** since, seeing that

## Z

**zambra** *f.* celebration, merry-making

**zapato** *m.* shoe; **ir con —s** go straight

**zarzuela** *f.* musical comedy

**Zorrilla, José** (1817–1893) *romantic dramatist and poet, best known as author of " Don Juan Tenorio "*

Doña Claracena
Mañana de Sol.

~~72~~ Mrs. Wills Turner

70 ~~selvage~~ → Boys

~~72~~ Mrs. Dearborn

Suzanne
Edwards

Suzy